Mae Pawb yn Cyfrif

stori ryfeddol y Cymry a'u rhifau

Gareth Ffowc Roberts

Gomer

Cyhoeddwyd yn 2012 gan
Wasg Gomer, Llandysul, Ceredigion SA44 4JL
www.gomer.co.uk

ISBN 978-1-84851-511-6

Dymuna'r cyhoeddwyr gydnabod cymorth
Cyngor Llyfrau Cymru.

Argraffwyd a rhwymwyd yng Nghymru gan
Wasg Gomer, Llandysul, Ceredigion.

I'm hwyrion,

Elis, Mari, Miriam, a'u cyfoedion

Myfi a ddymunaf arnoch ddysgu yn eich iaith eich hun. Fel na bo i un estron Genedl chwerthin am eich pennau o herwydd eich Anwybodaeth.

John Roberts
Arithmetic: mewn Trefn Hawdd ac Eglur (1768)

Cynnwys

Bywyd mewn cromfachau   xi

Rhagair   xiii

Diolchiadau   xvii

1   y holl ffordd i Caernafron   1

2   Mwy o fresych?   7

3   *I hate* 'that Mathematics'   15

4   Fel hogan gwnaf *Mechanics*   22

5   Sefydlu Recorde   35

6   Tynnu gwallt fy mhen   52

7   a pha le y mae trigfan deall?   65

8   Cracio'r cod   79

9   Un, dau, tri – Mam yn dal pry   89

10   Ym myd y Maiaid   98

11   Trafferth mewn tafarn   106

12   Iaith y paith   122

13   Od nad wyf i fyw dan do   134

I gloi   Ar gynhyrfiad y dŵr   148

Atodiad   151

Atebion i'r Posau   155

Nodiadau ar y Penodau   160

Darllen Pellach   179

Mynegai   180

Bywyd mewn cromfachau

Mae hi'n hwyr
neu mae hi'n fore iawn,
ac mae'r profi wedi'i wneud;

trwy ffeil y nos
bûm yn stryffaglu,
yn rhyfeddu ac yn rhesymu
ar bapur graff fy modolaeth
er mwyn gallu dweud:
'mae un peth yn hafal i beth arall'.

'Profwch hyn' oedd camp y cwestiwn.
Ac fe wnes!

Ond ar ddiwedd tair pejan A4 o weithio allan,
a rhai dalennau o ddileu yn gyfan,
o osod mewn cromfachau
ddyheadau a diffiniadau
a phrofiadau hyn o fyd,
mae'r ateb yn rhy blaen, rywsut,
yn ddifywyd o foel ac yn fud.

Oherwydd nid yn y datrysiad y mae'r ateb.
Mae hwnnw wedi'i ffactorio mewn cromfachau,
wedi'i rannu, wedi'i sgwario, wedi'i weithio allan ar y daith,
ac yno – ym mhob canfyddiad – y mae bywyd
y tu hwnt i rifau.

Karen Owen

Rhagair

Pan oeddwn yn hogyn ifanc roeddwn yn byw yn Nhreffynnon, sir y Fflint. Roedd ein tŷ ar fin ffordd yr A55 a chynffon hir o geir yn teithio heibio iddo yn ystod misoedd yr haf yn cludo ymwelwyr i draethau'r Rhyl, Bae Colwyn a Llandudno, ac ymhellach i'r gorllewin. Roedd hynny cyn dyddiau'r ffordd osgoi bresennol sydd wedi tawelu llawer ar yr hen ffordd. Roeddwn yn aml iawn yn fy niddanu fy hun yn ystod gwyliau'r haf yn eistedd ar fin y ffordd hon a gwneud nodyn o rifau'r ceir wrth iddynt basio. I ba bwrpas, wn i ddim! Ie, 'trist iawn, *very sad*!', ond rywsut roedd yna ryw hud mewn casglu rhifau, yn union fel roedd rhai plant yn mynd trwy gyfnodau o gasglu stampiau neu fod plant y dyddiau hyn yn casglu teganau Sullivan neu sticeri Panini.

Pan fyddai'n bwrw glaw, troi at deganau adeiladu oedd fy mhrif ddiléit: stribedi metel Meccano yn arbennig ac, ymhell cyn dyddiau Lego, offer adeiladu yn cynnwys darnau bach rwber a oedd yn ffitio i'w gilydd. Ai'r profiadau cynnar hyn gyda rhif a siâp a daniodd fy niddordeb mewn mathemateg, ynteu a oedd yna ddiddordeb cynhenid beth bynnag?

Bu'n broses hir i mi ddod i ddeall nad oedd pawb arall yn rhannu'r un diddordeb â mi mewn mathemateg a sylweddoli'n benodol nad oedd yn faes a oedd yn cael ei ystyried yn rhan naturiol o'r diwylliant Cymraeg a Chymreig. Pan fyddai pobl yn sôn am y 'pethe' cyfeirio roeddynt at lenyddiaeth, barddoniaeth, crefydd, cerddoriaeth, celf a dawns – ond beth am fathemateg a'r gwyddorau? Onid oeddwn i'n ymddiddori yn y 'pethe' traddodiadol gymaint â neb? Pam, felly, nad oedd pawb arall yn fodlon cynnwys mathemateg a'r gwyddorau ymhlith eu 'pethe' nhw hefyd?

Mae'r llyfr hwn ar gyfer y bobl eraill hyn: rhai sy'n gwbl gyfforddus yn cynnwys yr elfennau traddodiadol yn eu diffiniad o'r 'pethe' ond nad ydynt erioed wedi ystyried cynnwys mathemateg. Y darllenydd delfrydol yw'r un sy'n gwbl elyniaethus i'r syniad y gall mathemateg fod ymysg y 'pethe'! Bydd y llyfr o ddiddordeb hefyd i rai sydd eisoes yn gyfforddus gyda'r diffiniad ehangach hwn ond sy'n dymuno gwybod mwy am y cysylltiadau mathemategol Cymreig.

Casgliad o ysgrifau sydd yma ar ffurf straeon byrion yn seiliedig ar fy mhrofiad personol, ac mae nifer o is-themâu'n clymu'r straeon at ei gilydd. Rwyf wedi ychwanegu nodiadau ar bob pennod, gan gynnwys rhai ffynonellau pellach, yng nghefn y llyfr. Yma hefyd, mewn Atodiad, y mae rhestr o'r geiriau a ddefnyddiwn yn Gymraeg i ddweud rhifau yn y dull traddodiadol yn ogystal ag yn y dull mwy modern.

Mae'r llyfr wedi tyfu o hedyn a blannwyd yn Eisteddfod Genedlaethol Ceredigion, Aberystwyth, yn 1992. Yn yr Eisteddfod honno traddodais ddarlith dan y teitl 'Pwy sy'n Cyfrif?' Mae'r gyfrol hon, ugain mlynedd yn ddiweddarach, yn ddatblygiad o rai o'r syniadau a geir yn y ddarlith honno, ac yn ymgais i osod y Cymry a'u defnydd o rifau yn eu cyd-destun ehangach. Ymysg pobloedd y byd mae'r broses o gyfrif, fel y broses o gyfathrebu, yn gyffredin i bob cymdeithas. Ond, yn union fel y ceir amrywiaeth ieithoedd, mae amrywiaeth hefyd mewn dulliau cyfrif, a'r dulliau hyn wedi datblygu dros ganrifoedd i ateb dibenion cymdeithasau penodol. Nid yr un yw anghenion llwyth sy'n dibynnu ar hela o'i gymharu â chymdeithas sydd wedi datblygu dulliau amaethu neu gymdeithas sy'n masnachu. Mae datblygiad ein hagweddau, fel Cymry, at rif ac at iaith rhifau yn rhan o'r bwrlwm hwn. Rhaid deall natur y profiad Cymraeg a Chymreig o rifo er mwyn deall ein hagweddau cyfoes at rifau. Ydyn, mae pawb yn cyfrif, ond nid i'r un diben ac nid dan yr un amgylchiadau.

Gareth Ffowc Roberts

Gorffennaf 2012

Diolchiadau

Cyn mynd ati i ysgrifennu'r llyfr hwn cefais drafodaethau dadlennol a buddiol gyda Maldwyn Thomas a'm cynorthwyodd i fabwysiadu cywair arbennig. Apeliodd y cywair hwnnw at Wasg Gomer o'r cychwyn cyntaf ac elwais yn fawr ar gefnogaeth staff y wasg, yn arbennig ffydd Dylan Williams, brwdfrydedd Elinor Wyn Reynolds, a llaw sicr Dafydd Saer.

Manteisiais hefyd ar gymorth a chyngor gan nifer o unigolion: Janet Abas, Colin Barker, Marian Davies, Luned González, Ceris Gruffudd, Llion Jones, Gwyn Lewis, Gwyn a Margaret Lloyd, Rhys Llwyd, Islwyn Parry, Pablo Pappolla, Nia Powell, Morfudd Phillips, Elizabeth a Gordon Roberts, Huw Alun Roberts, Ceri Subbe, Gareth a Margaret Tilsley, Gerald Warner, Bethan ac Islwyn Williams, ac Ellen ac Ian Williams.

Elwais yn sylweddol o dderbyn sylwadau craff a manwl gan Dafydd Price ar ddrafftiau cynnar o'r llyfr. Bu Dafydd yn gydweithiwr agos i mi yn ystod fy nghyfnod fel Ymgynghorydd Mathemateg Cyngor Sir Gwynedd. Mae dylanwad y cyfnod hwnnw'n drwm ar gynnwys y llyfr ac mae fy nyled yn fawr i lu o ddisgyblion ysgol a'u hathrawon yn ogystal a'm cydweithwyr yn y sir honno.

Yn yr un modd rwyf wedi tynnu ar brofiad bod ymysg darpar athrawon a chyd-ddarlithwyr yn y Coleg Normal ac, erbyn hyn, yn Ysgol Addysg Prifysgol Bangor.

Cefnogwyr mwyaf brwd yr holl fenter – a'i beirniaid mwyaf llym – oedd fy mab Huw a'm merch Llinos, gyda chefnogaeth eu partneriaid, Bethan ac Aled. Iddynt hwy, gydag anogaeth fy ngwraig Menna, y mae'r diolch am geisio cadw traed eu tad ar y ddaear.

1

y holl ffordd i Caernafron

> A finna' yn fan 'ma
> Yng nghanol tywyllwch rhifa'
> Yn ceisio gwneud symia'.
>
> Gwyn Thomas

Yn blentyn naw oed, cychwynnodd Catherine yn gynnar o Gae'r Gors y bore braf hwnnw; roedd am loetran a sylwi ar fyd natur ar ei ffordd i'r ysgol ym mhentref Rhosgadfan ar lethrau mynydd Moel Tryfan, yng ngogledd Arfon. Mor wahanol oedd lliwiau'r gwanwyn i lwydni ystafelloedd yr ysgol. Mor wahanol hefyd oedd patrwm y newidiadau natur o ddydd i ddydd o'u cymharu â phatrwm unffurf y diwrnod ysgol.

Wedi'r gwasanaeth boreol yn neuadd yr ysgol mae'r plant yn treulio gweddill y bore yn gwneud symiau. Yn eistedd yn ddistaw mewn rhesi, mae pawb yn gweithio ar symiau y mae'r athro wedi'u hysgrifennu ar y bwrdd du. Cael yr atebion cywir yw'r her – a'r wobr, gobeithio, fydd cael tic ar y dudalen os nad seren arian neu hyd yn

1

oed seren aur os bydd yr atebion i gyd yn gywir. Tasg gaeedig yw hon – mae'r atebion naill ai'n gywir neu'n anghywir, a'r athro sy'n penderfynu ai tic neu groes sy'n addas. Saesneg yw iaith y wers ac mae'r plant yn ymbalfalu trwy symiau estron mewn iaith estron.

Mae Catherine yn fwrlwm o chwilfrydedd naturiol plentyn naw oed, ac wedi cael cyfle yn yr ysgol i fod yn greadigol wrth sgwennu storïau yn y gwersi iaith. Yn y wers symiau hon, fodd bynnag, mae'n cael ei chyfyngu a'i mygu i ddilyn rheolau rhywun arall, yn iaith pobl eraill, ac i ateb cwestiynau rhywun arall:

> Mae'r athro wedi dangos inni sut i wneud syms newydd, a chawsom lyfrau gydag enghreifftiau, rhyw ddwsin i'r tudalen. Yn awr mae'n rhaid inni weithio'r problemau hyn yn ein llyfrau ysgrifennu. Mae'r hanner dwsin cyntaf yn hollol yr un fath â'i gilydd ac yn ddigon rhwydd. Mae'r seithfed yn ymddangos yn wahanol ac yr wyf yn methu gwybod beth i'w wneud. Mae arnaf ofn troi oddi wrth ffordd yr hanner dwsin cyntaf, rhag ofn imi wneud camgymeriad, yr wyf mewn penbleth mawr. Mae fy rheswm yn dweud nad yw'r sym hon yr un fath â'r lleill, ond methaf weld pam yr oedd yn rhaid rhoi sym wahanol yng nghanol pethau yr un fath. Penderfynaf ddilyn fy rheswm er bod arnaf ofn. Y fi oedd yr unig un i gael y sym hon yn iawn. Yr wyf yn falch nid oherwydd hyn ond oherwydd imi benderfynu dilyn fy rheswm am y tro cyntaf erioed a chael fy mod yn iawn.

Dyma'r Kate Roberts ifanc, a flodeuodd ymhen blynyddoedd yn un o'n prif lenorion, yn ceisio bod yn greadigol, nid gyda geiriau, ond gyda rhifau. A pham lai? Yng nghyfnod Catherine, nid oedd creadigedd gyda rhifau yn cael ei gydnabod – rhaid oedd dysgu rheolau penodol a'u hailadrodd yn ufudd. Dyna pam roedd arni ofn – teimlad sy'n rhan o brofiad cenedlaethau o blant ysgol. Roedd 'syms' fel petaen nhw'n mygu'i dychymyg ac yn lladd ei chwilfrydedd.

Trown y cloc ymlaen gan mlynedd, bron, i ddiwedd yr ugeinfed ganrif. Mae'n ddiwrnod braf arall, dydd Llun yr ail o Hydref, a phentref Rhosgadfan yn mwynhau haf bach Mihangel. Rwyf yn ymweld â'r ysgol gynradd fel rhan o'm gwaith fel Ymgynghorydd Mathemateg Gwynedd. Mae'r plant saith oed newydd gyrraedd yn ôl i ddosbarth Miss Tomos, yn dilyn y gwasanaeth yn y neuadd. Mathemateg yw'r wers gyntaf. Gwers 'syms' fyddai hi ers talwm ond 'mathemateg' sydd ar flaen tafod y plant heddiw.

Mae'r plant yn eistedd mewn grwpiau, pedwar neu bump o amgylch pob bwrdd. Ar ôl cyflwyniad gan Miss Tomos i waith y bore mae grŵp Catrin yn dechrau ar y dasg agored o lunio cynifer o symiau â phosibl sy'n rhoi'r ateb '2', sef y dyddiad heddiw. Mae'r plant yn rhannu syniadau, yn trafod ac yn sgwrsio – yn Gymraeg – wrth ddechrau ar y gwaith, a Catrin yn cael y dasg o gofnodi ar ran y grŵp:

$$1 + 1$$
$$2 + 0$$
$$0 + 2$$
$$3 - 1$$

Mae'r plant yn gweld mai ychydig yw'r symiau adio sy'n rhoi'r ateb '2', ac yn mentro ymhellach gyda rhagor o symiau tynnu:

$$7 - 5$$
$$9 - 7$$
$$13 - 11$$

Yn y man, mae'r grŵp yn dechrau sylwi fod rhai o'r symiau'n ffurfio patrwm: $5 - 3, 15 - 13, 25 - 23, 35 - 33$. Mae Catrin yn mynd ati i restru'r symiau hyn er mwyn dangos y patrwm:

$$45 - 43$$
$$55 - 53$$
$$65 - 63$$
$$75 - 73$$
$$85 - 83$$

Mae'r plant yn awyddus i gofnodi y gallai'r patrwm hwn barhau am byth – bod modd adio deg i'r ddau rif hyd dragwyddoldeb! Ond sut y byddai'r plant ifanc hyn yn mynegi'r tragwyddoldeb hwn? Dyma'r geiriau y mae Catrin yn eu hysgrifennu o dan y symiau:

ac ymlaen y holl ffordd i Caernafron

I'r plant hyn, Caernarfon yw pen draw'r byd, y lle pellaf un! Ar ddiwedd y wers mae Miss Tomos yn galw'r grwpiau'n ôl at ei gilydd i rannu eu darganfyddiadau ac i ryfeddu atynt fel dosbarth.

Mae nifer o bethau sy'n gyffredin ym mhrofiad Catherine a Catrin, a nifer o bethau sy'n sylfaenol wahanol. Mae'r ddwy'n gorfod trin rhifau a'r berthynas rhyngddynt. Heddiw, fel ddoe, mae rhifyddeg (*arithmetic*) yn cynnwys y gallu i adio rhifau (+), eu tynnu (–), eu lluosi (×) a'u rhannu (÷). Heddiw, fel ddoe, mae rhifyddeg yn rhan hanfodol o ddinasyddiaeth lawn ac yn cynnwys defnyddio rhifau wrth ddatrys problemau, mewn bywyd bob dydd neu mewn pynciau ysgol eraill. 'Mae rhifyddiaeth yn etifeddiaeth cenhedloedd gwareiddiedig' oedd barn enillydd cystadleuaeth llunio traethawd yn Eisteddfod Wrecsam yn 1859 ac mae'r farn honno wedi'i hailadrodd yn gyson dros y degawdau.

Er bod cytundeb bras ynghylch y nod, mae gwahaniaethau sylfaenol ynghylch sut i'w gyrraedd. I Catherine roedd symiau yn ynys o ddiwylliant estron mewn iaith estron at ddibenion aneglur. I Catrin mae mathemateg yn rhan o brofiad cyflawn yr ysgol ac yn cael ei chyflwyno trwy iaith naturiol yr ysgol honno, yn wedd ar ddiwylliant yr ysgol, ac yn ddrych o ddiwylliant y gymuned ehangach. I Catherine a'i hathro, cael yr atebion cywir oedd yr unig nod; i Catrin a'i hathrawes, mae deall ac arbrofi a chreu cyn bwysiced â chael atebion cywir. I Catherine, dysgu rheolau digyswllt oedd y dasg; i Catrin, deall a meithrin hyder yw'r pwrpas. Roedd Catherine yn cael ei chyfyngu i *wybod sut*; mae Catrin yn cael ei hannog i *ddeall pam*. I Catherine, diwylliant dieithr oedd 'syms'; i Catrin, rhan annatod o'i diwylliant naturiol yw mathemateg.

Mae'r gwrthgyferbyniad rhwng profiad Catherine a phrofiad Catrin wedi'i fynegi yma mewn termau du a gwyn. Yn y byd go iawn mae profiad pob plentyn a phob oedolyn yn cynnwys cyfuniad o wahanol agweddau ar brofiad y ddwy; rydym yn gallu uniaethu â'r ddau brofiad ond mae'r cydbwysedd rhyngddynt yn wahanol i bob unigolyn. Yr hyn sy'n gyffredin i bawb yw'r tensiwn parhaus rhwng *gwybod sut* a *deall pam*. I rai, unig bwrpas gwers fathemateg yw dod i *wybod sut* a mynd ati i gael ateb. I eraill, mae *deall pam* lawn cyn bwysiced. 'Twt lol,' meddai'r garfan gyntaf, 'cael yr ateb cywir sy'n bwysig, a dim arall.' Yn y bôn mae'r ddwy garfan yn anghytuno ynghylch natur a phwrpas mathemateg. I ba garfan rydych chi'n perthyn?

2

Mwy o fresych?

Mae'r reddf sadistaidd ynom i gyd! Pan oeddwn i'n hyfforddi darpar athrawon cynradd arferwn chwarae hen dric sâl ar fyfyrwyr newydd. Yn eu darlith gyntaf eglurwn ei bod yn bwysig i mi wybod pa mor dda oedd eu mathemateg. I wneud hynny, roeddwn am osod prawf mathemateg byr: 'Pawb, felly, i estyn darn glân o bapur. Byddaf yn gofyn y cwestiynau yn araf. Ysgrifennwch yr atebion ar eich papur. Pawb yn barod? Dyma ni, felly, y cwestiwn cyntaf…' Distawrwydd llethol, pawb yn gwrando'n astud, astud. Yna, 'Ysgrifennwch un gair sy'n cyfleu eich teimladau: yr hyn sy'n mynd trwy'ch meddwl yr eiliad hon.' Ochenaid o ryddhad wrth i bawb sylweddoli mai tynnu coes creulon oedd y bygythiad o brawf, a phawb yn barod iawn i nodi un gair i fynegi eu teimladau.

Fel y gellid disgwyl, negyddol iawn oedd ymateb y mwyafrif helaeth i'r profiad hwn. Prin iawn, iawn fyddai geiriau fel 'hyderus' neu 'gwych' ar bapur unrhyw un. I'r gwrthwyneb, roedd geiriau fel 'nerfus', 'pryderus' ac 'ansicr' yn llawer mwy cyffredin. Ond y gair a oedd yn ymddangos yn amlach nag unrhyw air arall – yn gyson o flwyddyn i flwyddyn – oedd 'panig' neu 'PANIG' neu 'PANIG!' Mae'n siŵr y byddwn wedi cael ymateb negyddol wrth fygwth prawf mewn unrhyw bwnc – gwyddoniaeth, iaith, hanes, daearyddiaeth, cerdd ac ymlaen – ond mae'n sicr hefyd fod yr ymateb negyddol hwn yn fwy dwys, a'r gri o'r galon yn fwy gofidus, mewn mathemateg nag mewn unrhyw bwnc arall.

Pam mae mathemateg yn ysgogi ymateb eithafol fel hwn? Ai oherwydd mai atebion pendant – du a gwyn – sy'n nodweddiadol o'r maes? Mae dau dri (2×3) yn 6, a dyna fo, does dim lle i ddadlau, all yr ateb ddim bod yn 5 nac yn 7. Rydym yn cael ein cyflyru o oed ifanc iawn i feddwl am y pwnc fel un lle nad oes lle i drafod nac i gael barn wahanol. Mae awdurdod yn perthyn i'r pwnc a'r awdurdod hwnnw'n cael ei drosglwyddo i ddwylo'r athro ysgol sy'n marcio atebion efo tic neu groes, neu i'r rhiant sy'n trosglwyddo ansicrwydd a phryder i'r genhedlaeth nesaf: 'Dwyt ti'n *dal* ddim yn cofio faint ydy saith wyth (7×8)!?'

'Be wnest ti yn yr ysgol heddiw?' Dyma oedd ymateb Llinos, ein merch bump oed, i'r cwestiwn oesol hwn. Rhowch gynnig ar ddehongli ei hymateb cyn darllen ymhellach:

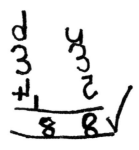

Roedd Llinos yn cael ychydig o drafferth i sgwennu'r rhifau'n gywir: y 4 a'r 5 o chwith – peth cyffredin iawn yn yr oed hwnnw. Erbyn ei holi daeth yn glir mai symiau adio oedd y wers heddiw, a'r athro wedi cyflwyno 'cario 1' i'r plant. Roedd Llinos wedi dysgu rhoi 'd' (degau) ac 'u' (unedau) ar ben y sym ac wedi clywed ei bod yn bwysig dechrau trwy adio'r rhifau dan yr 'u' cyn symud ymlaen i'r rhifau dan y 'd'. Gan mai dysgu 'cario 1' oedd nod y wers roedd Llinos hefyd yn 'cario 1' yn yr enghraifft hon, er nad oedd angen gwneud hynny. Rhaid hefyd oedd ychwanegu'r tic er mwyn gorffen y gwaith. Roedd y cyfan yn ei le. Gwenodd Llinos ar ei rhieni a disgwyl cymeradwyaeth. Doedd hi'n deall dim o'r hyn a wnaeth. Nid oedd yn dehongli'r rhif yn y rhes gyntaf fel tri deg tri (33) na'r ail rif fel pedwar deg pump (45) – tipyn o her i blentyn pump oed – ac nid oedd yn deall mai wyth deg wyth (88) oedd ei hateb. Roedd yn fodlon braf ei bod wedi derbyn a dilyn awdurdod yr athro, a'r tic yn goron ar y cyfan. 'Da iawn ti!' oedd yr unig ymateb posibl.

*   *   *

'Mae'n iawn i chdi,' yw ymateb llawer. 'Chest ti ddim trafferth efo maths yn 'rysgol. Roedd yn wahanol iawn i mi. Ddalltis i rioed be oedd yn mynd ymlaen.' Mae pobl wedi mynegi teimladau tebyg i'r rhain wrthyf lawer tro ac, oes, mae peth gwirionedd ynddynt. Nid nad wyf erioed wedi cael trafferth i ddeall mathemateg ond, rywsut, roedd gen i ddigon o hyder i fwrw ymlaen. Cofiaf fy hunan yn ifanc iawn, tua chwech oed efallai, yn eistedd wrth fwrdd yn y tŷ ryw fore Sadwrn glawog, a gosod tasg i mi fy hun, sef sgwennu'r rhifau gan ddechrau 1, 2, 3 ac ymlaen. Y gamp oedd sgwennu *pob* rhif oedd yn bodoli! Nid wyf yn cofio pa mor bell yr es i – rywle yn y cannoedd, mae'n debyg – ond rwy'n cofio'n glir i mi ddod yn ymwybodol yn raddol wrth i'r oriau fynd heibio nad oedd modd gorffen y dasg a sylweddoli bod y rhifau hyn yn mynd ymlaen ac ymlaen. Yn yr eiliad hwnnw cefais gip ar ryw fath o anfeidroldeb, y gall rhywbeth fod yn ddiderfyn, yn mynd ymlaen 'am byth'. Ffordd ddifyr o dreulio bore Sadwrn!

Ac yn y dosbarth babanod roedd y symiau (doedd dim sôn am 'fathemateg' bryd hynny) yn ddigon didrafferth ar y cyfan, er fy mod yn cofio cael siom enbyd un diwrnod wrth weld croes gyferbyn â phob sym yn fy llyfr gwaith ar ôl un wers! Rhaid fy mod wedi camddeall rhywbeth mawr. Mae'n drawiadol mai'r bore hwnnw sy'n aros yn y cof. Yn y dosbarth nesaf, a minnau'n saith oed erbyn hynny ar ddechrau'r 1950au, roedd pethau'n llawer mwy ffurfiol – pawb yn eistedd mewn rhesi ac yn copïo beth bynnag yr oedd Miss Williams yn ei ysgrifennu ar y bwrdd du. Yma eto, un wers sy'n aros yn glir yn y cof a honno'n wers ar 'rannu hir' (*long division*) – pwnc sy'n fwgan i lawer. Ar ôl cwblhau enghraifft ar y bwrdd du gofynnodd Miss Williams i ni fwrw ymlaen gyda rhes o broblemau tebyg. Rwyf yn cofio meddwl ar y pryd, 'Dydw i ddim yn deall hyn o gwbl. Be dwi i fod i 'neud?' Do, cefais fymryn o 'banig' fy hun y bore hwnnw, yn arbennig wrth sylwi fod pawb arall yn y dosbarth wrthi'n gweithio'n dawel ac yn ddi-lol. Hwn oedd y tro cyntaf i mi fethu deall rhywbeth mewn mathemateg – doedd geiriau Miss Williams yn gwneud dim synnwyr o gwbl. Roedd yr athrawes yn disgwyl i ni *wybod sut*, a dim mwy, ond roeddwn i eisiau *deall pam*. Hyd at hynny roeddwn wedi llwyddo i *ddeall pam* – wrth adio, wrth dynnu ac wrth luosi – ond roedd *deall pam* yn achos rhannu hir y tu hwnt i mi. Buan y daeth yn glir mai dyna oedd y disgwyl: peidio holi pam, a bodloni ar hynny.

*　　　*　　　*

Dysgu ailadrodd yn ddifeddwl oedd profiad plant mewn gwersi syms. Does ryfedd, felly, fod yna gymaint o deimlad negyddol at y pwnc. Gwellodd pethau gryn dipyn o'r 1960au ymlaen pan roddwyd mwy o bwyslais ar brofiadau ymarferol yn y dosbarth ac ar bwysigrwydd iaith mewn mathemateg. Ond graddol fu'r cynnydd ac araf yw'r newid o un genhedlaeth i'r nesaf.

Flynyddoedd yn ddiweddarach, yn y 1980au, cefais gais gan bennaeth ysgol gynradd i fynd draw i gael sgwrs efo un o'r athrawon oedd yn gwrthod mabwysiadu'r dulliau 'modern'. Cefais sgwrs ddifyr gyda'r cyfaill a oedd ei hun wedi'i drwytho yn yr hen drefn ac yn methu gweld unrhyw angen i newid: 'Os oedd o'n ddigon da i mi, mae'n ddigon da i blant heddiw hefyd.' Wedi ei holi ymhellach, yn ofalus ac yn ddiplomataidd, daeth yn glir nad oedd yr athro ei hun yn deall y dulliau yr oedd yn eu trosglwyddo i'r plant – roedd yn *gwybod sut* ond nid yn *deall pam*. Roeddwn yn beryglus o agos at ddinistrio'i hunan-barch: onid oedd wedi bod yn defnyddio'r dulliau hyn am ddegawdau heb i neb gwyno? Serch hynny, llwyddwyd yn raddol i agor ffenestri newydd yn ei brofiad ond mae'n siŵr na lwyddais i'w ddarbwyllo'n llwyr. Mae llawer o'r plant a oedd dan ei ofal yn rhieni eu hunain erbyn hyn ac yn gweld mai profiadau gwahanol iawn mae eu plant yn eu mwynhau mewn mathemateg o'u cymharu â'u profiadau yn nosbarth yr athro arbennig hwn.

Does ryfedd, felly, fod agweddau oedolion at fathemateg yn tueddu at un o ddau begwn. Mae rhai, er mai ychydig ydynt, yn dwlu ar y pwnc; mae eraill yn ei gasáu â chas perffaith ac yn barod i ddatgan hynny, gan gyfeirio at lu o ffactorau, yn cynnwys profiadau anffodus yn yr ysgol – profion gwaith pen wythnosol, athrawon aneffeithiol, athrawon cas – a phwysau o du rhieni. Ai gwir yr ymadrodd Saesneg: 'Maths is like cabbage: you love it or hate it, depending on how it was served up to you at school!'

*   *   *

Ychydig iawn, iawn o gyngor ar ddewis gyrfa oedd ar gael yn fy ysgol uwchradd – Ysgol Ramadeg Treffynnon fel yr oedd hi bryd hynny. Roeddwn wedi cael rhyw syniad ffansïol yr hoffwn fynd i fyd meddygaeth a mentrais sôn am hynny wrth y prifathro, Mr Sydney Davies, gŵr hynod o ddeallus – yntau hefyd â chefndir mewn mathemateg – ond yn ddisgyblwr a allai beri ofn a dychryn i ddisgybl, athro a rhiant fel ei gilydd. Roedd 'Syd' yn gwbl ddilornus o'r syniad. 'Roberts,' meddai, 'Maths is your poison.' A dyna ni, pedwar gair o gyngor mewn saith mlynedd o ysgol uwchradd! Cadarnhawyd y cyngor hwn gan ddarn o graffiti a grafwyd ar fy nesg gan ryw wàg yn y chweched dosbarth, 'Gareth loves

Maths', yn wahanol, wrth gwrs, i negeseuon mwy arferol cyfnod llencyndod.

Cymharol brin yw nifer y Cymry sydd wedi ennill bri rhyngwladol mewn mathemateg. Mae Adran Mathemateg Prifysgol St Andrews yn yr Alban yn cynnal cronfa ddata o holl fathemategwyr enwog y byd, o Archimedes ymlaen. Nid yw'r rhestr yn cynnwys rhai sy'n fyw heddiw ac mae'n drawiadol mai naw yn unig o'r enwau arni sydd o Gymru, o'i gymharu â chyfanswm o 302 o Loegr, 190 o'r Alban a 36 o Iwerddon. Sut mae egluro hyn?

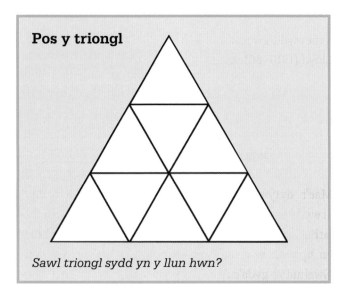

Pos y triongl

Sawl triongl sydd yn y llun hwn?

3

I hate 'that Mathematics'

Mae digon o bobl, gan gynnwys Cymry, yn barod i dystio, a hynny'n gyhoeddus, eu bod yn cael anawsterau gyda mathemateg. Er ei bod yn dderbyniol i gyfaddef eich bod yn anrhifog mae'n gwbl anfaddeuol datgan eich bod yn anllythrennog.

Mynegiant dadlennol o'r atgasedd hwn at fathemateg a meysydd gwyddonol yw'r englyn hwn o waith O. M. Lloyd (1910–80) pan oedd yn hogyn ysgol 17 oed:

> I hate 'that Mathematics' – I'm a dunce
> All my days in Physics.
> I cannot do Mechanics,
> Is my brain full of some bricks?

Mae'r dyfynodau o amgylch 'that Mathematics' yn arwyddocaol gan mai mynegi ei atgasedd at ei brofiad o fathemateg a'r gwyddorau *yn yr ysgol* y mae O. M. Lloyd, yn hytrach na'i agwedd cyffredinol at y meysydd hyn. Gweinidog gyda'r Annibynwyr oedd O. M. Lloyd, gŵr uchel iawn ei barch a ffraeth ei dafod. Lluniwyd rhaglen deyrnged arbennig iddo yn Eisteddfod Genedlaethol Blaenau Gwent a Blaenau'r Cymoedd yn 2010 gan ei blant, Gwyn, Rhys a Nest. Roedd O. M. yn ei elfen fel beirniad Ymryson y Beirdd ym Mhabell Lên yr Eisteddfod Genedlaethol. Ar ôl gosod tasgau i'r beirdd, byddai'n hoffi rhoi tasg i'r gynulleidfa tra oeddynt yn aros i'r beirdd ddychwelyd i'r Babell, sef cyfrifo sym a osodwyd ganddo ar ffurf englyn, fel yr enghraifft hon:

Afalau – wyth o filoedd, a deugain
    A deg yna ydoedd;
    Ugeinwaith naw o gannoedd;
    Solfia, lu, sawl afal oedd?

> **Pos yr afalau**
>
> *Sawl afal oedd yng nghwdyn O. M. Lloyd?*

Roedd y tasgau hyn yn codi llawer o hwyl yn y Babell Lên – pobl yn gweiddi pob math o atebion, a hynny wrth fodd O. M.

Mae Gwyn Lloyd yn trysori llyfrau nodiadau ei dad o'r cyfnod pan oedd yn hogyn ysgol ac yn fyfyriwr coleg yn ymarfer ei grefft gynganeddu. Yn y Gymraeg mae ymgais cyntaf O. M. Lloyd i lunio'i englyn am fathemateg, dan y teitl 'Yr Ysgolor', ond mae'r drafftiau nesaf yn Saesneg. Mae'n sicr mai yn Saesneg y byddai O. M. Lloyd wedi dysgu mathemateg yn yr ysgol ei hun. Cofia Gwyn Lloyd fod ei dad yn un pur sydyn efo rhifyddeg ac wrth ei fodd efo pob math o bosau mathemategol a geiriol. At ei dad y byddai'n troi o dro i dro am gymorth ar fathemateg – ac at ei fam am gymorth ar faterion iaith – ond roedd yn dân ar ei groen i glywed ei dad yn troi at y Saesneg wrth ymdrin â rhifau ac elfennau technegol y pwnc. Mae yna groes-ddweud rhwng agwedd O. M. at y pwnc ysgol – 'that Mathematics' – a'i hoffter amlwg o'r maes y tu allan i furiau'r ysgol. Ydy'r croes-ddweud hwn yn gyffredin ym mhrofiad llawer ohonom?

*   *   *

Wrth baratoi ar gyfer ysgrifennu'r llyfr hwn cefais sgyrsiau difyr eraill gyda rhai a oedd yn barod i geisio dadansoddi eu hagweddau at fathemateg a'r profiadau oedd wedi dylanwadu ar yr agweddau hynny. Llenyddiaeth a'r dyniaethau yw diléit Maldwyn Thomas ac, wedi graddio yn y Gymraeg, bu'n athro, yn ymgynghorydd addysg ac yn ddarlithydd coleg. Wedi ymddeol, mae ei lais i'w glywed yn rheolaidd ar Radio Cymru a'i iaith fyrlymog yn gloywi pob brawddeg. Yn ystod ein sgwrs daeth yn glir nad oedd Maldwyn Thomas yn ymffrostio yn ei deimladau negyddol at fathemateg ond ei fod, serch hynny, yn barod i'w drafod. Yn dilyn y sgwrs aeth ati i fynegi rhai o'r teimladau hynny ar bapur:

Mae gen i ofn – ofn gwirioneddol – o rifau ac ofn trafod gwerthoedd rhifol. Er fy mod yn mwynhau crwydro'r weirglodd a'r blodau bach meddal o'm cwmpas, mi ydw i'n gwybod yn iawn fod yna gerrig a meini mawr a chlogwyn enbyd o serth o'm blaen ar y daith hon ac yn poeni y byddaf yn cyrraedd terminws fy amgyffrediad am rif yn fuan iawn.

Mae'r profiad o 'wynebu clogwyn' mewn gwersi mathemateg yn un cyffredin. Y clogwyn arbennig oedd yn peri ofn i Maldwyn Thomas oedd algebra. A fyddai ei athro mathemateg yn yr ysgol uwchradd yn gweld y broblem ac yn cynnig rhaffau dringo er mwyn iddo allu cyrraedd pen y clogwyn yn ddiogel?

Roeddwn wedi hen gyrraedd y clogwyn hwnnw erbyn arholiadau'r pedwerydd dosbarth yn yr ysgol a'm hunig ymateb oedd sgwennu ysgrif yn erbyn algebra yn lle ymdrechu'n fethdalus i ateb y cwestiynau yn y papur. Doeddwn i ddim yn disgwyl ymateb a chefais i'r un.

Ychwanega: 'Fy ngwraig yn holi pam nad ydw i'n cael trafferth i dderbyn a mewnoli symbolau iaith ond yn cael symbolau mathemateg yn anhreuliadwy.'

Symbolau algebra oedd yn peri trafferth i Maldwyn Thomas: yr x fondigrybwyll. Yn eu cân boblogaidd 'Nos Sadwrn Abertawe' mae Neil Rosser a'r Band yn defnyddio'r atgasedd cyffredin hwn i bwrpas:

Mae e'n bartner 'da Aled
Sydd rîli yn galed,
Mor galed ag algebra.

Na, nid yw Maldwyn Thomas ar ei ben ei hun. Yn ei golofn yn y cylchgrawn *Golwg* roedd Hywel Gwynfryn yn barod i ddatgan ei brofiad yn gyhoeddus: 'Fedrwn i ddim deall algebra, a fedrwn i ddim gweld pwrpas algebra chwaith.' Cyffes gyffredinol am fathemateg yw un John Albert Evans, cyn-athro'r Gymraeg fel ail iaith ac ymgynghorydd addysg. Yn 1972 aeth yn athro cynradd i Ysgol Gymraeg Bryntaf, yr unig ysgol Gymraeg yng Nghaerdydd ar y pryd. Yno bu angen iddo addysgu pob pwnc gan gynnwys mathemateg, arbenigedd y pennaeth, Tom Evans. Wrth drafod yr her arbennig hon, meddai John Albert Evans yn ei hunangofiant, 'Rhaid i mi gyfaddef taw niwlog iawn oedd fy nealltwriaeth i o'r pwnc, ac ro'dd meddwl am y sesiynau gyda'r rhieni yn rheswm da dros gael pen tost!'

Mae merched yn llawn mor barod â dynion – os nad yn barotach – i ddatgan eu hanallu mewn mathemateg. Mae un o ebychiadau'r gwleidydd Ann Widdecombe yn dangos parodrwydd dynes i fynegi'n gyhoeddus ei ffaeleddau mewn mathemateg, 'I was fearfully good at Latin and appallingly bad at maths. I could not "get" geometry.' Wrth i mi brynu llyfr am hanes mathemateg mewn siop lyfrau yn ddiweddar, dywedodd y siopwraig, merch gymharol ifanc, 'Fydden i byth yn gallu darllen llyfr fel 'na', a hithau heb unrhyw syniad am gynnwys y llyfr (ar wahân i'r teitl) ond yn barod i wneud y datganiad wrth rywun nad oedd hi erioed wedi'i gyfarfod o'r blaen.

Peth cyffredin hefyd fyddai clywed merched oedd yn cyflwyno rhaglenni radio yn cyffesu eu pryderon am fathemateg wrth y byd a'r betws. Y cyd-destun arferol fyddai cyfweliad gyda phlentyn ysgol a holi beth oedd ei hoff bwnc neu bynciau. Erbyn hyn mae delwedd mathemateg mewn ysgolion wedi newid er gwell a phlant yn llawer mwy cadarnhaol eu hagwedd tuag ati. Oherwydd hynny, mae'n naturiol i lawer o blant gyfeirio at fathemateg (nid 'syms' sylwer) ymysg eu hoff bynciau. Ymateb greddfol ambell gyflwynwraig fyddai ebychu, 'Paid â sôn! Doeddwn i'n dda i ddim gyda syms fy hun yn yr ysgol!'

Tybed ydy dynion – yn arbennig ddynion ifanc – yn llai parod na merched i fod mor agored ynghylch eu teimladau am fathemateg? A oes unrhyw ddisgwyliadau cymdeithasol ar ddynion i fod yn hyderus mewn mathemateg, yn union fel y disgwylir iddynt fod yn gyfforddus ym myd gwyddoniaeth a thechnoleg? Dynion, siŵr iawn, sy'n gallu darllen mapiau; dynion sy'n gwybod sut mae'r peiriant gwneud coffi yn gweithio;

dynion sy'n gallu trin technoleg y barbeciw; dynion sy'n newid bwlb a thrwsio ffiws. Onid e?

Pos y cyfanswm

Tri dau, tri phedwar, tri deg – a thri thri,
Tri thraean a phymtheg,
Dau a deuddau a deuddeg,
Tri naw a deunaw a deg.

Beth yw'r cyfanswm?

4

Fel hogan gwnaf *Mechanics*

Dychmygwch y sefyllfa. Mae'n ddydd Sadwrn, tua chwech o'r gloch y bore. Mae'r ddau ohonom, fy ngwraig Menna a minnau, yn cysgu'n braf. Ni fydd y cloc larwm yn tarfu ar gyfnod ychwanegol o ymlacio yn y gwely'r bore hwn. Ond nid felly roedd hi i fod. Daeth ein merch, Llinos, a oedd tua saith oed ar y pryd, i mewn i'r ystafell wely a gofyn i'w mam, 'Mam, faint ydy pedwar un deg tri (4×13)?' Cyn darllen ymhellach, meddyliwch beth fyddai eich ymateb chi wedi bod i'r cwestiwn.

Rwyf wedi gosod y sefyllfa hon o flaen nifer o gynulleidfaoedd, y rhan fwyaf ohonynt yn gyfarfodydd rhieni, a gofyn am eu hymateb. Gan mai at Menna yr anelwyd y cwestiwn, y merched yn y gynulleidfa yw'r rhai cyntaf i ymateb. Yr ateb mwyaf cyffredin, yn rhesymol ddigon, yw 'Dos yn ôl i dy wely', ond ateb cyffredin iawn arall yw 'Dos i ofyn i dy dad'. Ateb mwyaf cyffredin y tadau yw 'Pum deg dau (52), nawr dos yn ôl i dy wely'. Mae'r patrwm hwn o ymatebion yn adrodd cyfrolau: y mamau'n gweld cwestiwn am rifau yn gyfrifoldeb y tad, a'r tadau'n dangos eu gwrywdod wrth ateb y cwestiwn ar ei ben a chau'r drws ar y peth.

Prin yw unrhyw ymgais i gynnal sgwrs gyda'r plentyn, a hynny'n ddigon rhesymol ac ystyried faint o'r gloch oedd hi, ond mae rhai, chwarae teg, yn cynnig atebion mwy agored fel 'Pam wyt ti eisio gwybod?' neu, yn brinnach, 'Tybed sut gallwn ni gael yr ateb i hwnna?' Yn yr achos arbennig hwn, llwyddwyd i gynnal sgwrs (roeddwn i, wedi'r cyfan, yn ennill fy mara menyn trwy annog athrawon a rhieni i hybu hyder eu plant mewn mathemateg, a fiw i minnau, o bawb, beidio ag ymateb i'r sialens arbennig hon!). Ar ôl ychydig o drafod gwelodd Llinos y byddai'n gallu cyfrifo pedwar un deg tri (4×13) trwy edrych arno fel pedwar deg (4×10) a phedwar tri (4×3), neu 40 ac 12, sef 52. Aeth hi'n ôl i'w hystafell yn ddigon hapus ond daeth yn ôl ymhen rhai munudau a gofyn, 'Faint yw pedwar un deg pedwar (4×14)?' Erbyn hyn roedd yr ymateb o'n rhan ni yn haws, 'Wyt ti'n cofio be wnest ti i gael 4×13? Beth am wneud yr un peth efo 4×14?' 'Wel,' meddai Llinos ar ei hymweliad nesaf, 'mae 4×13 yn rhy fach a 4×14 yn rhy fawr.'

Amser brecwast cawsom wybod beth oedd pwrpas yr holl gwestiynau, sef bod Llinos yn ceisio gwneud llun lliwgar ar ddarn o bapur oedd yn cynnwys 54 colofn ac am rannu'r llun yn bedair rhan gyfartal. Hanfod ei chwestiwn, felly, oedd 'Faint yw *chwarter* 54?' er mwyn cael gwybod sawl colofn i'w cynnwys ym mhob chwarter a ble i osod y ffiniau. Yn sydyn roedd y cyfan yn glir i ni'r rhieni araf!

Llun Llinos – anrheg i'w rhieni.

*   *   *

Llinell arall o gynghanedd o waith O. M. Lloyd yw pennawd y bennod hon, 'Fel hogan gwnaf *Mechanics*'. Er iddo lunio'r llinell yn ei lyfr nodiadau, ac yntau'n fyfyriwr ysgol, roedd O. M. yn amlwg yn anhapus i gynnwys y gair 'hogan' ac wedi rhoi llinell drwyddo.

Serch hynny, mae'r llinell yn adrodd cyfrolau ynghylch disgwyliadau'r cyfnod am ddiddordebau a gallu merched. Yn sicr nid oedd unrhyw ddisgwyl iddynt ddisgleirio mewn *Mechanics* (sef cyfuniad o fathemateg a ffiseg).

Mae hon yn hen broblem, er gwaetha'r camau mawr i sefydlu cydraddoldeb rhwng y rhywiau. Prin iawn yw'r merched, hyd yn oed heddiw, sy'n llwyddo i gyrraedd swyddi uchel mewn mathemateg a'r gwyddorau, mewn diwydiant na phrifysgol. Fyddai neb heddiw, wrth gwrs, yn dadlau nad oes gan ferched y gallu i lwyddo yn y maes. Serch hynny, mae'r dylanwadau cymdeithasol yn parhau i godi muriau, a sefydlwyd ymgyrchoedd a mudiadau lawer i geisio gwrthsefyll y pwysau hyn. Ym Mhrifysgol Bangor, er enghraifft, cynhelir cynadleddau 'merched mewn gwyddoniaeth' yn rheolaidd er mwyn i ddisgyblion ysgol weld a chlywed merched sydd wedi llwyddo yn y byd hwnnw, rhai fel yr Athro Sian Hope o Fangor, sy'n arbenigo mewn cyfrifiaduron. Yn America mae'r Association for Women in Mathematics yn annog gwragedd a merched i astudio mathemateg ac i ddilyn gyrfaoedd yn y gwyddorau mathemategol. Mae'r gymdeithas hon mor brysur heddiw ag erioed.

Mae'r duedd i labelu merched fel rhai nad ydynt yn dda mewn mathemateg, a dynion fel rhai sydd (neu a ddylai fod) yn dda yn y pwnc, yn ddwfn yn ein diwylliant. Prin yw'r merched sydd wedi disgleirio fel mathemategwyr byd enwog, a phrinnach fyth yw'r merched o Gymru sydd wedi disgleirio.

*   *   *

Ymysg y naw mathemategydd o Gymru a restrir ar gronfa ddata Prifysgol St Andrews, un yn unig sy'n ferch, sef Mary Wynne Warner (1932–98). Cafodd Mary Davies ei geni yng Nghaerfyrddin, yr hynaf o ddwy ferch Sydney ac Esther Davies (y cawsom beth o hanes y tad mewn pennod flaenorol). Pan benodwyd Sydney Davies yn bennaeth Ysgol Ramadeg Llanymddyfri, a Mary yn chwech oed, symudodd y teulu yno i fyw. Disgleiriodd yn ei gwaith ysgol ac enillodd y marciau uchaf drwy Gymru yn yr arholiadau 16+. Erbyn hynny roedd wedi cael blas ar fathemateg ond yn dymuno astudio ffiseg hefyd yn y chweched dosbarth. Roedd adnoddau gwyddoniaeth Ysgol Ramadeg Llanymddyfri yn gyfyngedig ar y pryd a phenderfynodd y teulu anfon Mary i ysgol breswyl Howell's, Dinbych.

Enillodd Mary Davies ysgoloriaeth i Rydychen. Ar ôl graddio mewn mathemateg priododd Gerald Warner, un o'i chyd-fyfyrwyr. Penodwyd yntau'n llysgennad a threuliodd y teulu gyfnodau mewn nifer o wledydd ar draws y byd – Tsieina, Bwrma, Gwlad Pwyl, y Swistir a Malaysia. O ganlyniad i hynny, a gofynion magu teulu, roedd yn anodd i Mary Warner ddatblygu ei diddordebau mathemategol a llunio gyrfa iddi'i hun. Yn y gwasanaeth diplomyddol gwaith gwraig oedd bod yn gefn i'w gŵr – dim llai a dim mwy. Llwyddodd Mary Warner, serch hynny, i gadw fflam ei gwaith mewn mathemateg ynghynn ac enillodd radd doethur (PhD) pan oedd yn byw yn Bwrma – camp eithriadol, yn arbennig o ystyried agweddau'r wlad honno at ferched. Algebra oedd ei phrif ddiddordeb, a gwnaeth gyfraniadau pwysig a gwreiddiol ei hun yn ei maes.

Yn y man fe'i penodwyd i swydd Darllenydd mewn mathemateg yn y City University, Llundain, cyn ei dyrchafu i Gadair yn y brifysgol honno – camp aruthrol arall. Parhaodd i gyhoeddi'n helaeth hyd at ei hymddeoliad yn 1996 ac wedi hynny. Bu Mary Warner farw'n sydyn wrth ymweld â ffrindiau yn Sbaen yn 1998. Mewn teyrnged iddi yn *The Times* adroddwyd na chollodd Mary Warner ei Chymreictod, er iddi dreulio blynyddoedd yn teithio'r byd. Roedd yn siarad yn blaen gyda ffraethineb miniog, ond ceisiai reoli ei hemosiynau yng nghwmni pobl rhag ofn iddi achosi embaras proffesiynol i'w gŵr, y llysgennad. Fodd bynnag, ar un achlysur aeth dros ben llestri ar ganol cinio diplomyddol a drefnwyd ganddynt yn ystod eu cyfnod yn y Swistir. Roeddynt mewn bwyty yng Ngenefa a oedd yn enwog am ei *tartes à la crème*. Dechreuodd un o'r gwesteion gael hwyl ar ben barddoniaeth Gymraeg, gan wylltio Mary Warner. Doedd fiw iddi daro'n ôl yn uniongyrchol a phenderfynodd daflu un o gacennau hufennog y gwesty at ei gŵr diamddiffyn. Doedd dim rheswm yn y byd dros wneud hynny, wrth gwrs, ond llwyddwyd i ddod â'r sgwrs i ben!

Mary Wynne Warner (1932–98).

I ni, ddisgyblion yn ysgol ei thad yn Nhreffynnon, roedd rhyw ddirgelwch yn perthyn i blant 'Syd'. Roeddynt fel petaent yn cadw draw o Dreffynnon, ac er bod Sydney ac Esther Davies yn aelodau yn ein capel ni, doedd fawr o sôn am eu plant. Roedd Mrs Walter Owen Jones yn un o aelodau hynaf y capel a phan enillais le i astudio mathemateg yn Rhydychen derbyniais anrheg gwbl annisgwyl ganddi, sef cyfieithiad Saesneg gan Mary Warner o lyfr Ffrangeg ar algebra. Ar y pryd, doeddwn i ddim yn sylweddoli mai Mary Davies oedd y Mary Warner hon, ac mae'n amlwg wrth edrych yn ôl mai Sydney Davies oedd wedi rhoi'r llyfr i Mrs Walter Owen Jones i'w drosglwyddo i mi. Cymeriad cymhleth iawn oedd Sydney Davies. Ni soniodd erioed yn yr ysgol am waith ei ferch o fathemategydd, ond aeth ati'n dawel trwy Mrs Walter Owen Jones, na fyddai'n gwybod fawr ddim am algebra, i sicrhau fy mod yn derbyn copi o'r llyfr. Beth, tybed, oedd yn rhwystro Sydney Davies rhag ymfalchïo'n gyhoeddus yn llwyddiant ysgubol ei ferch?

Mary Wynne Warner yw'r unig Gymraes i gael ei chydnabod gan Brifysgol St Andrews am ei chyfraniad i fathemateg, yr unig ferch i gael ei chynnwys ymysg mawrion y byd hwnnw. Ac eto, go brin fod unrhyw gof amdani y tu allan i gylch cyfyng o fathemategwyr o gyffelyb fryd.

*   *   *

Eithriadau oedd y merched yn Ysgol Ramadeg Treffynnon oedd yn arbenigo yn y gwyddorau, gan gynnwys mathemateg. Weithiau byddai'r dewisiadau oedd ar gael mewn ysgolion uwchradd yn cynnwys negeseuon cudd mai pynciau eraill oedd fwyaf addas ar eu cyfer. Profiad Margaret Lloyd, a fu'n ddisgybl yn Ysgol Ramadeg y Rhyl yn y 1950au, oedd gorfod dewis rhwng Ysgrythur a Mathemateg, a'r rhai oedd yn dewis Ysgrythur, merched yn bennaf, yn dilyn y cwrs Special Arithmetic nad oedd yn cynnwys unrhyw algebra na geometreg. Tebyg iawn oedd profiadau nifer o ferched yn ystod y cyfnod hwnnw.

Rhywbeth i ddynion oedd mathemateg; pynciau 'meddalach' fyddai'n apelio at ferched – celf, cerdd, ieithoedd. Tanlinellid y neges hon yn agored ac yn aml. Er enghraifft, wrth adolygu llyfr posau i blant yn 1932 dywedodd yr *Yorkshire Post* am y llyfr: 'Ought to be in every house where there are children. A regular gold mine for fathers, uncles, and schoolboys; and even sisters and mothers will be unable to resist parts of it.' Mae'r canfyddiad hwn o rôl merched yn aml yn groes i'r gwir. Er enghraifft, byddai'n gyffredin fel rhan o waith ffarm mai'r wraig fyddai'n cadw cyfrifon a'r ffarmwr ei hun yn ymhél â gwaith trwm y ffarm. Y wraig fyddai'n rheoli'r cyfrifon banc, y wraig fyddai'n trefnu'r archebion ac yn gofalu am y gwaith papur. Ac nid yn unig yn y byd ffermio. Byddai trefniadau o'r fath yn aml, ond nid bob tro wrth gwrs, yn rhan o batrwm bywyd nifer o deuluoedd.

Daeth hyn yn gliriach i mi dros gyfnod o flynyddoedd yn achos dau o'm perthnasau, Gwen, a'i gŵr, Glyn. A'r ddau wedi'u geni yn y 1910au, prin oedd y cyfleoedd addysg ar eu cyfer. Bu Gwen yn gweithio fel ysgrifenyddes mewn swyddfa cyn cael swydd mewn banc ac yna redeg siop a swyddfa bost. Roedd sgiliau rhif Gwen wedi'u miniogi dros y blynyddoedd a chadwodd y gallu i gyfrifo'n gyflym yn ei phen ar hyd ei hoes. Gweithio gyda'r Bwrdd Nwy roedd Glyn gan dderbyn hyfforddiant fel cyfrifydd er na fu iddo erioed gyrraedd statws cyfrifydd siartredig. Fel plentyn ifanc des i sylweddoli o dipyn i beth fod sgiliau rhif Gwen yn well na rhai Glyn ond nad oedd neb yn cydnabod hynny. Mater o falchder i Glyn oedd sefydlu ei 'wrywdod' drwy ddangos mai ef oedd yn deall y pethau mathemategol a gwyddonol hyn. Derbyn ei lle yn dawel oedd dewis Gwen gan osgoi herio a bychanu'i gŵr. Bob noson Nadolig byddem fel teulu mawr estynedig yn cyfarfod yn ein tŷ ni, ac, fel rhan o'r noson, yn chwarae gemau amrywiol. Byddwn i, fel 'mathemategydd' y teulu, yn cael y dasg o feddwl am ambell bos (*puzzle*) yn ymwneud â rhifau neu siapiau. Teimlai Glyn y dylai ymateb i'r heriau amrywiol ond daeth yn glir yn fuan mai Gwen oedd yr un â'r meddwl cyflymaf. Y gamp wedyn oedd trin y sefyllfa'n ofalus er mwyn cydnabod camp Gwen ond osgoi bychanu Glyn. Dysgais lawer am sgiliau diplomyddiaeth yn ystod y nosweithiau hynny!

Ar adeg arall roeddwn newydd orffen traethawd doethuriaeth ym myd astrus mathemateg yr atom. Roedd Glyn yn awyddus i weld y traethawd a chafodd ei fenthyg am rai wythnosau. Wrth ei ddychwelyd, ychwanegodd y sylw, 'Ie, da iawn!' Go brin y byddai wedi deall gair o'r gwaith (prin fy mod yn ei ddeall fy hun erbyn hyn!) ond roedd Glyn yn amlwg yn teimlo mai ei swyddogaeth oedd rhoi sêl ei fendith ar y cyfan. Roedd Gwen yn ddigon doeth i beidio â chynnig unrhyw sylw na gofyn am ei weld.

*   *   *

Un barod iawn ei barn ac un a'i mynegai'n groyw oedd Hafina Clwyd (1936–2011), awdur a cholofnydd cyson yn y wasg Gymraeg a Chymreig. Roedd cylchgrawn *Taliesin* wedi mentro dewis mathemateg fel thema i rifyn Gaeaf 2010 a minnau wedi llunio erthygl am y cysylltiad rhwng mathemateg a diwylliant ar ei gyfer. Mewn colofn yn y wasg roedd ymateb Hafina Clwyd i'r rhifyn yn ddiflewyn-ar-dafod:

Daeth y copi diweddaraf o *Taliesin*. Ni allaf ddarllen y mwyafrif llethol ohono. Y thema yw mathemateg ac y mae yna ysgrifau sy'n gwneud dim synnwyr o gwbl. A diagramau a wnaeth i mi deimlo'n benysgafn. Yn wir gan mai yn fy ngwely yr oeddwn yn darllen fe fu rhaid i mi godi a mynd i'r tŷ bach i daflu i fyny oherwydd daeth holl hunllef y gwersi syms yn ôl. Unwaith eto yr oeddwn i'n eistedd a mhen yn fy mhlu yn y dosbarth yn edrych ar fy llyfr gwaith gyda chroes goch wrth bob tasg.

Methu deall yr un gair oedd ei barn am fy nghyfraniad i i'r rhifyn, er nad oedd unrhyw fathemateg ynddo mewn gwirionedd. Mae Hafina Clwyd wedi cyfeirio yn ei hunangofiannau at ei thrafferthion ysgol ym myd 'syms'. Wrth gyfeirio at ei chyfnod yn ysgol gynradd Gwyddelwern, meddai: 'Awn adre â nghlustiau'n ysu wedi i'r Sgŵl Coch golli amynedd efo disgybl a fedrai adrodd holl Delynegion y Misoedd heb lyncu poer ond na allai roi dau a dau a thri efo'i gilydd i wneud wyth.'

Doedd pethau fawr gwell iddi yn yr ysgol ramadeg lle dechreuodd gael salwch corfforol wrth orfod wynebu gwersi mathemateg. Cawn gip hefyd ar agwedd a phwysau tad Hafina Clwyd na allai 'ddeall pam roedd ei ferch hynaf yn fathemategol anllythrennog', ac a oedd yn siomedig iawn na chafodd hi fynd i'r brifysgol gan nad oedd hi wedi dewis unrhyw bwnc gwyddonol nac wedi llwyddo mewn mathemateg.

Nid oedd Hafina Clwyd ar ei phen ei hun: cefais hanesion am ferched eraill sydd hefyd yn dioddef symptomau corfforol yng nghyd-destun mathemateg. Mae'n bosibl fod ambell ddyn wedi cael profiadau tebyg ond eu bod yn fwy cyndyn i sôn amdanynt yn gyhoeddus.

*   *   *

Ydy'r agweddau hyn yn fwy cyffredin o fewn y diwylliant Cymraeg a Chymreig nag yn Lloegr neu mewn gwledydd eraill? Mae agweddau negyddol at fathemateg, yn arbennig ymysg merched, wedi bod yn destun trafod ac ymchwil rhyngwladol dros gyfnod sylweddol ond anodd yw dod i gasgliadau pendant wrth gymharu ar draws ffiniau.

Un o'r dylanwadau yw'r iaith y dysgir mathemateg drwyddi, fel y gwelwn mewn mannau eraill yn y llyfr hwn. Profiad cymharol ddiweddar yw dysgu ac addysgu mathemateg yn Gymraeg – o'r 1950au ymlaen ac yn hwyrach fyth mewn rhai ardaloedd. Cyn hynny, gydag eithriadau prin, Saesneg oedd y cyfrwng, hyd yn oed i blant a oedd i bob pwrpas yn uniaith Gymraeg. Gwneud mathemateg mewn iaith a oedd yn estron iddynt oedd profiad plant, a daeth mathemateg ei hun yn bwnc estron yn eu golwg. Plannwyd yr hadau hyn flynyddoedd yn ôl gan arwain at weld mathemateg fel rhywbeth ar wahân i ddiwylliant naturiol y Cymry. Ai dyna, yn y pen draw, oedd wrth wraidd agweddau rhai fel Hafina Clwyd a oedd yn gallu uniaethu â phatrymau ieithyddol 'Telynegion y Misoedd' ond yn cefnu ar batrymau mewn rhif a siâp?

Pos y cusanau

Enghraifft o bos o 1933 na fyddech yn debygol o'i weld heddiw:

Mae nifer o ferched ifanc yn pwytho cwilt ar gyfer brodorion Uganda. I ddathlu cwblhau'r gwaith mae'r merched yn cusanu'i gilydd unwaith ac mae'r curad, a oedd hefyd yn bresennol, yn cusanu pob un o'i chwiorydd unwaith. Cyfanswm nifer y cusanau yw 72.

Sawl chwaer sydd gan y curad?

5

Sefydlu Recorde

Mae gan bawb eu harwyr, a gorau oll os oes ganddynt nodweddion y gallwch uniaethu â nhw. Yn fy arddegau fy arwr criced oedd y troellwr Tony Lock a chwaraeai i Loegr yn ystod y 1950au a'r 1960au. Roedd Lock, fel minnau, yn fowliwr llaw chwith ond, fel minnau eto, yn batio â'r llaw dde. Roedd hefyd yn faeswr penigamp, yn arbennig yn agos at y bat, a byddwn yn treulio oriau yn yr ardd gefn yn taflu pêl yn erbyn wal er mwyn ymarfer ei dal yn null Lock.

Wrth ddilyn gyrfa mewn addysg fathemateg bu'n naturiol i mi chwilio am arwyr yn y byd hwnnw. Y mwyaf ohonynt o bell ffordd yw Robert Recorde (1510?–1558), Cymro o Ddinbych-y-pysgod sy'n enwog heddiw am ddyfeisio'r arwydd hafal '='. Mae Recorde yn arwr, nid yn gymaint oherwydd hynny, ond oherwydd mai ef oedd y cyntaf ym Mhrydain i feddwl o ddifrif ynghylch sut i gyflwyno syniadau mathemategol i eraill: yr athro mathemateg cyntaf un. Ef oedd y cyntaf i egluro syniadau am fathemateg yn Saesneg i bobl gyffredin, y cyntaf i ddehongli gwaith geometreg Ewclid o'r cyfnod clasurol, y cyntaf i drafod algebra yn Saesneg ac, wrth wneud hynny, ie, y cyntaf i ddefnyddio'r arwydd '='. Yn nhraddodiad arwyr trasig, bu farw yn amddiffyn ei egwyddorion. Nid yw mathemateg yn twyllo ac nid oedd Recorde yn barod i dwyllo chwaith. Talodd y pris eithaf am hynny.

Dechreuais ymddiddori yn Robert Recorde a'i hanes yn y 1970au cynnar pan ymunais â chymdeithas o ddarlithwyr o Gymru sy'n arbenigo mewn addysg fathemateg – pobl sy'n gyfrifol am hyfforddi darpar athrawon cynradd ac uwchradd. Pam yn y byd nad oeddwn wedi clywed am Robert Recorde cyn hynny? Roeddwn wedi gwneud lefel A mewn mathemateg ac wedi graddio yn y pwnc, ond doedd neb wedi crybwyll enw Recorde, heb sôn am fanylu am ei waith. Oni ddylid cyflwyno pob plentyn ysgol i hanes yr athrylith hwn?

Yn naturiol ddigon, mae Robert Recorde yn arwr i'r gymdeithas ddarlithwyr, ac mae'r aelodau'n cyfeirio ato'n ysgafn fel 'Dai Equals'! Yn 2008 roedd yn 450 o flynyddoedd ers marw Recorde a gwelodd y gymdeithas gyfle i gynnal cynhadledd arbennig i ddathlu ei fywyd a'i waith. Roedd y gynhadledd yn llwyddiant ysgubol a denwyd arbenigwyr rhyngwladol i siarad amdano. Ond beth oedd mor arbennig am Recorde, pam mae'n parhau'n arwr i mi ac eraill a pham mae'n haeddu ei le ymhlith arwyr Cymru?

*   *   *

Tref fach brysur yw Dinbych-y-pysgod heddiw, yn arbennig ym misoedd yr haf pan fydd ymwelwyr yn heidio yno wrth eu miloedd i fwynhau ei thraethau melyn a'r hinsawdd fwyn sy'n nodweddiadol o dde Penfro. Ni allant lai na sylwi hefyd ar yr arwyddion o hanes y dref: y muriau canoloesol sy'n amddiffyn canol yr hen dref, eglwys hynafol y Santes Fair, a thŷ masnachwr o'r cyfnod Tuduraidd sydd wedi'i adfer i'w gyflwr gwreiddiol.

Dros gyfnod haf 2010 roedd baneri anarferol yn crogi ar draws strydoedd cul y dref yn cyhoeddi i'r byd a'r betws ei bod, y flwyddyn honno, yn dathlu 800 o flynyddoedd er sefydlu'r eglwys a 500 o flynyddoedd er geni ei mab enwocaf, Robert Recorde, yn 1510. Dros fisoedd yr haf cynhaliodd Amgueddfa ac Oriel Dinbych-y-pysgod arddangosfa o ddarnau celf gan dros hanner cant o artistiaid a ysbrydolwyd gan fywyd a gwaith Recorde. Dathlwyd yr achlysur hefyd mewn gwasanaeth coffa yn Eglwys y Santes Fair.

Cerflun o Robert Recorde yn Eglwys y Santes Fair, Dinbych-y-pysgod. Seiliwyd y cerflun ar lun o Recorde sydd bellach ym Mhrifysgol Caer-grawnt. Profwyd erbyn hyn fod y llun gan artist o'r Iseldiroedd ac yn dyddio o hanner cyntaf yr ail ganrif ar bymtheg. Yn sicr, nid Recorde yw hwn! Er hynny, y ddelwedd hon sy'n parhau'n sail i luniau cyfoes o Recorde.

Dehongliad gan yr artist Anne Gregson dan y teitl *Magical Symbols* yn dangos defnydd o'r arwydd '=' mewn hafaliadau enwog dros y canrifoedd. Gellir gweld y llun hwn ac eraill yn Amgueddfa ac Oriel Dinbych-y-pysgod.

Tref fach brysur oedd Dinbych-y-pysgod tua'r flwyddyn 1500 hefyd. Yn anghysbell o ran ei chyrraedd ar hyd ffyrdd cyntefig y cyfnod, roedd yn borthladd poblogaidd i longau o bell ac agos, a'i harbwr yn denu masnachwyr nwyddau o bob math. Roedd llwyddiant y dref yn dibynnu ar ei gwŷr busnes. Roedd ei swyddogion hefyd yn brysur yn gosod a hel tollau gan y llongau am yr hawl i ddefnyddio'r harbwr. Roedd angen amrywiaeth o sgiliau mathemategol ar y bobl gyffredin hyn, gan gynnwys cadw cyfrifon, cyfnewid arian, a phwyso a mesur.

Un o fewnfudwyr y bymthegfed ganrif i Ddinbych-y-pysgod oedd Roger Recorde, masnachwr o Swydd Caint. Roedd unig fab Roger, Thomas Recorde, hefyd yn fasnachwr yn y dref. Priododd hwnnw â Ros Johns, Cymraes o ardal Machynlleth. Robert Recorde oedd yr ieuengaf o ddau fab Thomas a Ros. Ychydig iawn o fanylion sydd gennym am ei blentyndod a'i lencyndod yn Ninbych-y-pysgod, ond mae'n sicr iddo gael ei ddylanwadu gan fwrlwm masnachol y dref ei hun ac iddo sylwi ar drigolion y dref yn trin arian ac yn defnyddio sgiliau rhif yn eu gwaith o ddydd i ddydd. Cafodd ychydig o ysgol yn lleol a llwyddodd er gwaethaf amgylchiadau anodd y cyfnod i fynd yn fyfyriwr i Rydychen. Enillodd ei radd gyntaf yno a gradd bellach yng Nghaer-grawnt a'i galluogodd i ymarfer ei grefft fel meddyg.

Daeth i sylw'r frenhiniaeth ac fe'i penodwyd i ofalu am y bathdai brenhinol ym Mryste, Llundain a Dulyn, ac yn uwch-reolwr y gwaith mwyngloddio arian yn Iwerddon. Y tasgau hynny oedd yn ei gynnal o ddydd i ddydd, yn ogystal â pharhau i wneud peth gwaith meddygol a rhoi gwersi preifat mewn mathemateg. Roedd yn weithiwr cydwybodol ac yn sicrhau bod y Goron yn elwa'n ariannol ar waith y bathdai. Roedd hefyd yn ddiniwed yn wleidyddol. Un o gymeriadau mwyaf pwerus y cyfnod oedd Iarll Penfro, a oedd yn ddylanwadol yn y llys brenhinol. Un o'i ddyletswyddau oedd goruchwylio gwaith Recorde. Roedd Recorde wedi dechrau amau bod Iarll Penfro yn cadw peth o elw'r bathdai at ei ddibenion ei hun yn hytrach na'i drosglwyddo'n llawn i'r Goron. Penderfynodd Recorde ei gyhuddo'n agored o wneud hynny – cam gonest ond ffôl, ac ystyried cysylltiadau'r Iarll.

Ymateb Iarll Penfro oedd cyhuddo Recorde o enllib, a hawliodd iawndal. Collodd Recorde yr achos – pa obaith oedd ganddo mewn gwirionedd? – a chafodd ddirwy o fil o bunnoedd. Byddai'r ddirwy'n cyfateb i tua £300,000 heddiw ac nid oedd gan Recorde y modd i'w thalu. O ganlyniad, fe'i dedfrydwyd yn 1557 i gyfnod mewn carchar i ddyledwyr yn Llundain. Daliodd haint yn y carchar a bu farw ychydig fisoedd yn ddiweddarach yn 1558. Yn 1570, ddeuddeng mlynedd ar ôl ei farwolaeth, ac Elisabeth I bellach yn frenhines Lloegr, ailaseswyd cyfrifon y bathdai a'r mwyngloddio a baratowyd gan Recorde a'u cael yn gywir. Roedd cyhuddiad Recorde yn erbyn Iarll Penfro yn ddilys wedi'r cyfan. I gydnabod y cam yn ei erbyn rhoddodd y Goron diroedd ar les i ofal nai Recorde. Roedd yn rhy hwyr erbyn hynny i wneud iawn am y cam yn erbyn Robert Recorde ei hun, wrth gwrs, ond sicrhaodd y trefniant fudd tymor hir i weddill ei deulu yn Ninbych-y-pysgod.

Yng nghanol ei waith gyda'r bathdai a'i helyntion personol mae'n gwbl ryfeddol fod Recorde wedi ysgrifennu a chyhoeddi cyfres o lyfrau ar feddygaeth, ar seryddiaeth, ac ar fathemateg. Y llyfrau hyn oedd ei wir gamp. Trwy ei lyfrau ar fathemateg, gosododd Recorde sylfeini ar gyfer datblygiad addysg fathemateg yn Saesneg. Daeth gwaith y Cymro hwn o Ddinbych-y-pysgod yn batrwm i'w efelychu gan eraill ac mae'r egwyddorion a sylfaenodd yn parhau hyd heddiw. Wrth drin rhifau a siapiau gyda phlant mae pob athro, pob athrawes a phob rhiant (pa un a ydynt yn ymwybodol o hynny neu beidio) yn pwyso ar yr egwyddorion a sefydlwyd gyntaf gan Recorde. Pa ryfedd ei fod yn arwr i addysgwyr mathemateg? Pa ryfedd hefyd iddo fod yn arwr yn ei dref enedigol, Dinbych-y-pysgod? Arafach fu'r gydnabyddiaeth a roddwyd iddo gan weddill Cymru – gwlad y beirdd a'r cantorion – ond mae hynny'n prysur newid hefyd.

*   *   *

Roedd Recorde yn Brotestant o argyhoeddiad. Roedd hefyd yn deall syniadau gwyddonol ei gyfnod. Cefnogai syniadau Copernicws fod y ddaear yn troi o amgylch yr haul ac nad y ddaear oedd canolbwynt y bydysawd fel y mynnai Eglwys Rufain. Roedd yn gyfnod peryglus i arddel heresïau gwrth-eglwysig o'r fath. Serch hynny, mentrodd Recorde fynegi ei farn ond dewisodd wneud hynny mewn dull cynnil. Mae ei drafodaeth yn ei lyfr ar seryddiaeth, *The Castle of Knowledge* (1556), wedi'i llunio ar ffurf sgwrs rhwng athro a'i ddisgybl. Y disgybl sy'n ddigon ffôl ag awgrymu fod peth rhinwedd yn sylwadau Copernicws cyn i'r athro ei ddwrdio am fentro barn ar beth mor astrus ac yntau mor ifanc a dibrofiad. Mae'r awgrym yn glir, serch hynny.

Mae Saesneg Recorde yn llifo'n rhythmig er nad yw'n darllen yn hawdd i ni heddiw gan nad oedd sillafu ac atalnodi wedi'u safoni, ond daw'r ystyr yn glir gyda pheth ymdrech. Yn y tabl gyferbyn mae'n siarsio'i ddarllenwyr i gwestiynu barn pobl eraill (y gwreiddiol ar y chwith, gyda chyfieithiad bras i Gymraeg heddiw ar y dde).

Yn ei gyfnod yr oedd i'r cyngor hwnnw ddehongliadau gwleidyddol, eglwysig a brenhinol. Gellir gweld y geiriau heddiw ar lechen goffa a osodwyd yn Adran Cyfrifiadureg Prifysgol Abertawe yn 2001 – maent yr un mor berthnasol i fyfyrwyr yr oes bresennol ag roeddynt i ddarllenwyr Recorde.

Yet muste you and all men take heed, that … in al mennes workes, you be not abused by their autoritye, but euermore attend to their reasons, and examine them well, euer regarding more what is saide, and how it is proued, then who saieth it: for autoritie often times deceaueth many menne.	Wrth ystyried barn pobl eraill gofalwch nad ydych yn cael eich twyllo gan eu safle a'u hawdurdod. Rhaid i chi bwyso a mesur eu honiadau yn ofalus gan roi sylw i'w dadl a sail y ddadl honno yn hytrach na dibynnu'n unig ar y sawl sy'n cyflwyno'r ddadl, oherwydd gall awdurdod ein camarwain yn aml.

Ond ei lyfrau ar fathemateg yw pinacl ei waith: ei lyfr cyntaf ar rifyddeg, *The Ground of Artes* (1543 ac 1552); ei ail lyfr ar geometreg, *The Pathway to Knowledg* (1551); a'i lyfr olaf ar algebra, *The Whetstone of Witte* (1557). Ei fwriad drwyddi draw oedd cyflwyno syniadau elfennol mathemateg i bobl gyffredin a gwneud hynny mewn iaith hawdd ei deall.

Y llyfrau hyn yw'r rhai gwreiddiol cyntaf erioed i'w cyhoeddi ar fathemateg yn Saesneg, yn groes i'r traddodiad o gyhoeddi yn Lladin neu Roeg ar gyfer llond dwrn o ysgolheigion. Recorde a ddehonglodd y clasuron i'r werin bobl. Yn ei lyfr ar geometreg, er enghraifft, mae'n cyflwyno gwaith y Groegwr Ewclid (o'r cyfnod tua 300 CC) am y tro cyntaf yn Saesneg. Ei gynulleidfa yw'r bobl gyffredin yn ogystal â'r ysgolheigion. Mae'n cynnwys gweithwyr tir sydd angen geometreg ar gyfer

Llun o dudalen gyntaf *The Ground of Artes* yn dangos masnachwyr yn defnyddio dau ddull gwahanol o gyfrifo: symud cownteri fel ar abacws ar y chwith, ac ysgrifennu'r sym mewn rhifau ar y dde.

mesur caeau i dyfu eu cnydau, i blannu eu gwrychoedd a thorri eu ffosydd; mae hefyd yn cynnwys crefftwyr o bob math – y saer coed, y cerflunydd, y saer maen, y crydd, y teiliwr – sy'n defnyddio syniadau geometregol syml wrth eu gwaith yn mesur ac yn dylunio. Roedd yn llyfr poblogaidd ac fe'i hailargraffwyd ddwywaith ar ôl marwolaeth Recorde, yn 1574 ac 1602. Mae'n anodd gorbwysleisio camp Recorde: y Cymro hwn o Ddinbych-y-pysgod oedd y cyntaf i agor llygaid pobl gyffredin Saesneg eu hiaith i gyfoeth mathemateg y Groegiaid.

Yn ei lyfrau ar rifyddeg ac algebra mae Recorde eto'n defnyddio'r arddull sgwrs rhwng athro a disgybl:

I haue wrytten in the fourme of a dyaloge, bycause I iudge that to be the easyest waye of enstruction, when the scholer may aske euery doubte orderly, and the mayster may answere to his question playnly.	Rwyf wedi ysgrifennu ar ffurf sgwrs gan fy mod yn tybio mai dyna'r ffordd rwyddaf i addysgu, gan roi cyfle i'r disgybl ofyn cwestiynau yn drefnus ac i'r athro eu hateb yn glir.

Ar un achlysur mae'r disgybl yn colli ei amynedd ac yn gofyn i'r athro am yr ateb heb yn gyntaf sicrhau ei fod yn deall y rheswm *pam* yn iawn. Chwarae teg i'r disgybl, mae dan bwysau i orffen ei waith ac yn awyddus i gael yr ateb heb orfod mynd i'r drafferth o ddeall y cyfan – sefyllfa sy'n gyfarwydd iawn i athrawon a rhieni heddiw hefyd! Ond mae'r athro'n ei ddwrdio:

Yea but you muste proue your selfe to doe some thynges that you were neuer taught, or else you shall not be able to do any more then you were taught, that were rather to learne by rote (as they call it) then by reason.	Ie, ond rhaid i chi ddangos y gallwch wneud rhai pethau nad wyf wedi eu cyflwyno i chi. Fel arall bydd rhaid i chi fodloni ar ailadrodd yn fecanyddol yn hytrach na defnyddio'ch rheswm.

Ystyr *learning by rote* yw dysgu mecanyddol diddeall – *gwybod sut* heb *ddeall pam*.

Yn yr enghraifft hon, mae'r disgybl yn ceisio bodloni ar *wybod sut*, a'r athro yn mynnu ei fod yn *deall pam*. Nid trwy ddysgu rhywbeth yn beiriannol ar eich cof y mae meistroli mathemateg, hyd yn oed yng nghyfnod Recorde!

Drwyddynt draw mae'r llyfrau'n dangos mai Recorde oedd y person cyntaf i feddwl yn ddwfn ynghylch sut i addysgu mathemateg, beth ddylid ei egluro i ddisgybl, sut i gynnal ei ddiddordeb, sut i'w gywiro, sut i'w ysbrydoli a sut, hefyd, i ddefnyddio ychydig o hiwmor fel rhan o'r broses ddysgu. Gosododd ei lyfr ar rifyddeg batrwm na fu gwella arno am yn agos at 300 mlynedd. Ychwanegodd Recorde at fersiwn cyntaf y llyfr mewn ail argraffiad. Dros y ganrif a hanner yn dilyn ei farwolaeth cafodd y cynnwys ei addasu, ei helaethu a'i ailgyhoeddi gan olygyddion dros 30 o weithiau.

*   *   *

Er mor bwysig a dylanwadol oedd ei lyfrau mathemateg mae Recorde yn enwog heddiw am un peth yn bennaf. Ef a ddyfeisiodd y symbol '=' i olygu 'hafal'. Mor gyffredin yw'n defnydd o'r symbol erbyn hyn fel ei bod yn hawdd peidio â gwerthfawrogi ei rym a'i bwysigrwydd. Roedd Recorde ei hun yn arfer mynegi hafaledd mewn geiriau fel '*is equalle to*'. Gwelodd fod hynny'n drwsgl ac yn wastraffus; llawer haws fyddai dyfeisio arwydd bach twt. Gwnaeth hyn yn ei lyfr ar algebra, gan ddewis dwy linell baralel i gynrychioli'r syniad '*bicause noe. 2. thynges, can be moare equalle*'. Dyma'r dyfyniad yn llawn, yn y print gwreiddiol, gyda chyfieithiad oddi tano:

**And to a=
uoide the tedioufe repetition of thefe woozdes : is e=
qualle to : J will fette as J doe often in woozke ufe, a
paire of paralleles, oz Gemowe lines of one lengthe,
thus : ═══════ bicaufe noe. 2. thynges, can be moare
equalle.**

Er mwyn osgoi gorfod ailadrodd y geiriau 'yn hafal i' bob tro, byddaf yn defnyddio arwydd sydd wedi bod yn gymorth i mi yn fy ngwaith, sef dwy linell baralel o'r un hyd (llinellau Gemowe) fel hyn = oherwydd ni all dau beth fod yn fwy hafal na hynny.

Ystyr 'Gemowe lines' yn y dyfyniad hwn yw llinellau sydd, fel gefeilliaid, yn hollol yr un fath. Daw 'Gemowe' o'r un tarddiad â Gemini, arwydd seryddol yr Efeilliaid.

Roedd rhai symbolau mathemategol eraill – y symbol am adio ac am dynnu yn benodol – eisoes wedi cael eu cyflwyno gan fathemategwyr o'r Eidal. Gydag ychwanegiad Recorde roedd modd ysgrifennu hafaliadau mewn ffordd gryno a thwt. Mae hafaliad syml fel 3 + 5 = 8 mor gyfarwydd i ni heddiw, nes ei bod yn anodd sylweddoli cam mor fawr oedd cyrraedd y ffurf syml hon.

Cyhoeddwyd llyfr Recorde ar algebra yn 1557 ac yntau yng nghanol ei helbulon gydag Iarll Penfro. Ar ddiwedd y llyfr mae'r athro a'r disgybl yn trafod manylion technegol yr algebra ac wedi ymgolli'n llwyr yn y gwaith. Yn sydyn, ac yn ddramatig, daw sŵn curo tanbaid ar y drws. Mae swyddogion y llys wedi cyrraedd i roi gwŷs i'r athro – sef Recorde ei hun, wrth gwrs – gwŷs sy'n ei orfodi i ymddangos mewn llys barn. Rhaid iddo roi ei fathemateg heibio er mwyn ateb ei gyhuddwr. Does dim cysuro ar y disgybl, a daw'r llyfr i ben gyda'r sgwrs drist hon, wedi ei gosod ar ffurf triongl, gyda llinellau'r sgwrs yn byrhau'n ingol tua'u diwedd:

> *Scholar*: My harte is so oppressed with pensifenes,
> by this sodaine vnquietnesse, that I can not expresse
> my grief. But I will praie, with all theim that
> loue honeste knowledge, that God of his
> mercie, will sone ende your troubles,
> and graunte you soche reste, as
> your trauell doeth merite.
> And al that loue lear-
> nyng: saie ther
> to. Amen.
> *Master*: Amen,
> and Amen.

Mewn Cymraeg cyfoes:

Disgybl: Mae fy nghalon mor drom dan dristwch oherwydd yr
aflonyddu hwn fel na allaf fynegi fy ngalar. Ond gweddïaf
gyda phawb sy'n caru gwybodaeth y bydd Duw,
drwy ei drugaredd, yn dod â'ch helbulon i ben
yn fuan, ac yn rhoi i chi'r gorffwys
y mae eich gwaith yn ei haeddu.
A phawb sy'n caru dysg:
dywedwch Amen.
Athro: Amen,
ac Amen.

O fewn rhai misoedd roedd Recorde wedi marw. Roedd
y dyn rhyfeddol hwn wedi bwriadu cyhoeddi rhagor
o lyfrau ond ni chafodd gyfle i wireddu ei gynlluniau.
Er hynny, roedd eisoes wedi cyflawni llawer, a hynny
dan amgylchiadau gwleidyddol hynod o anodd. Gan
gadw at ei egwyddorion o ddweud y gwir yn blaen ac
yn onest, aeth yn groes i'w feistri yn y llys brenhinol.
Ei ddymuniad oedd parhau â'i waith fel athro, yn
gyfathrebwr syniadau mathemategol. Daeth terfyn ar y
gwaith hwnnw ond mae ei ddylanwad yn aros.

*   *   *

Pos y pwysau

Un o'r posau ymarferol a osodwyd gan yr athro i'r disgybl yn *The Ground of Artes*:

If the caryage of 100 pound weyghte 30 myles, do coste 12 d. how much wyll the caryage of 500 weyghte coste, beynge caryed 100 myles?

Yn Gymraeg:

Pris cario llwyth 100 pwys bellter o 30 milltir yw 12 ceiniog. Faint yw pris cario llwyth 500 pwys bellter o 100 milltir?

Y Cymro Robert Recorde a sefydlodd addysg fathemateg fel crefft a chelfyddyd yn Saesneg. Ei fwriad a'i lwyddiant oedd trosglwyddo syniadau mathemategol i bobl gyffredin – yn glercod, yn grefftwyr, yn athrawon – yn ogystal ag ysgolheigion. Wrth wneud hynny sefydlodd hefyd egwyddorion addysgu cadarn sy'n sefyll hyd heddiw. Arwr, yn wir! Yn rhan o'n hetifeddiaeth, dylai gwybod am fywyd a gwaith y gŵr rhyfeddol hwn fod yn rhan o brofiad pob disgybl ysgol yng Nghymru a phob myfyriwr mathemateg yn unrhyw un o golegau a phrifysgolion Cymru.

Yn niffyg prifysgol yng Nghymru yn ei gyfnod, denwyd Robert Recorde i wneud ei gyfraniad ym mhrif ganolfannau dysg Lloegr – Rhydychen, Caer-grawnt a Llundain. Oherwydd hynny, ymylol oedd ei gyfraniad i'r diwylliant Cymraeg a Chymreig. Mae'r diwylliant hwnnw, yn ei dro, wedi bod yn araf i dderbyn mathemateg a'r gwyddorau. Ond nid oedd gwaith Recorde heb ei ddilynwyr yng Nghymru ac yn y Gymru Gymraeg, fel y gwelwn yn y bennod nesaf.

6

Tynnu gwallt fy mhen

Roedd golwg fodlon, braf ar wyneb Emyr. Roedd wedi cwblhau llond tudalen o symiau tynnu a hynny ymhell cyn diwedd gwers y bore. *Job done*! Naw oed oedd Emyr ac roedd yr athrawes wedi gosod y dasg i'r dosbarth er mwyn gwneud yn siŵr eu bod i gyd yn cofio sut i wneud symiau tynnu. Eisteddais wrth ochr Emyr ac edrych ar ei waith. Dyma'i atebion i'r ddwy sym gyntaf:

$$47 \qquad 31$$
$$-23 \qquad -18$$
$$\overline{24} \qquad \overline{27}$$

Mae'r ateb cyntaf yn gywir, wrth gwrs, ond mae rhywbeth rhyfedd wedi digwydd yn yr ail sym. Sut mae Emyr wedi cyrraedd yr ateb '27'? Mae'n debyg iddo dynnu 1 o 8 yng ngholofn yr unedau ac yna 1 o 3 yng ngholofn y degau, heb weld fod unrhyw beth o'i le ar hynny. Onid symiau tynnu oedd y rhain i fod? Os felly, tynnu amdani!

Penderfynais anwybyddu'r sym dros dro a gofyn cwestiwn arall i Emyr. 'Dychmyga,' meddwn, 'fod gen ti dri deg un (31) o losin a dy fod yn rhoi un deg wyth (18) ohonyn nhw i mi. Faint fyddai gen ti ar ôl?' Pendronodd Emyr gan edrych i fyny i gornel bellaf yr ystafell. Ymhen ychydig daeth ei ateb, 'Un deg tri (13).' 'Diddorol iawn,' meddwn innau. 'Sut gest ti hynny?' Beth, tybed, oedd cornel yr ystafell wedi'i datgelu i Emyr? 'Wel,' meddai Emyr, yn gwbl hyderus, 'mae un deg wyth (18) a dau (2) yn gwneud dau ddeg (20), deg (10) arall yn gwneud tri deg (30), ac un (1) wedyn yn gwneud tri deg un (31). *So*, dyna ni – dau (2) a deg (10) ac un (1) yn gwneud un deg tri (13).' Roedd Emyr wedi'i gweld hi! Roedd yr hyn a 'welodd' yng nghornel yr ystafell, y peth dirgel hwnnw yn nyfnder y meddwl, wedi ei alluogi i gyrraedd ei ateb. Yn hytrach na thynnu 18 o 31 roedd wedi gofyn iddo'i hun faint yn fwy ydy 31 nag 18, a'r ffordd o ateb hynny oedd trwy weld faint sydd angen ei adio at 18 er mwyn cyrraedd 31. Dyna sut y cafodd y 2, y 10 a'r 1, a'u rhoi at ei gilydd i wneud 13.

Roedd y cwestiwn wedi rhoi cyfle i Emyr feddwl yn greadigol a dangos ei fod yn *deall pam*. Ond roedd penbleth newydd yn codi. Sut oedd Emyr yn gallu cysoni'r ateb a roddodd yn ei lyfr gwaith (27) gyda'r ateb a gafodd o gornel yr ystafell (13)? Roedd eisoes wedi ysgrifennu 31 − 18 = 27 yn ei lyfr ond wedi rhoi'r ateb 13 i mi yn llafar. Dyma fentro gofyn i Emyr am ei sylwadau: 'Rwyt ti wedi sgwennu dau ddeg saith (27) yn dy lyfr ond wedi rhoi'r ateb un deg tri (13) i mi. P'run sy'n gywir?' Wedi meddwl ymhellach daeth Emyr i gasgliad cwbl resymol a oedd yn datrys y cyfan: 'Wel,' meddai, 'mae'r *ddau* ateb yn gywir!' Roedd Emyr wedi llwyddo i wahanu'r ddau beth yn ei feddwl. Roedd yr ateb 27 yn 'gywir' gan ei fod wedi dilyn y 'rheolau' a ddysgodd gan ei athrawes – onid dyna pam yr oedd yn treulio awr bob bore yn y wers fathemateg yn dysgu llond rhes o reolau er mwyn cael yr atebion i symiau adio, tynnu, lluosi a rhannu? Ar yr un pryd roedd yr ateb 13 yn gywir fel ateb i gwestiwn ymarferol. Ni welai unrhyw anghysondeb rhwng y ddau beth. Symiau'r wers fathemateg oedd y naill; cwestiynau'n codi yn y byd go iawn y tu allan i'r ystafell ddosbarth oedd y llall.

*   *   *

Tynnu gwallt eu pen oedd profiad cenedlaethau o athrawon wrth geisio cyflwyno plant bach i ddirgelion symiau tynnu. Defnyddiwn sym Emyr i egluro'r benbleth. Sut y mae mynd ati i weithio'r sym hon?

$$31$$
$$-\ \underline{18}$$

Y drefn arferol yw dechrau gyda'r unedau (ar yr ochr dde) a cheisio tynnu'r '8' o'r '1'. Mae'n ymddangos na allwn wneud hynny, a dysgwyd plant i ddweud 'un tynnu wyth, fedrwch chi ddim'. Roedd Emyr wedi gweld y broblem yn dod ac wedi newid y drefn, gan gyfrifo 'wyth tynnu un'. Dyna, wrth gwrs, sut y cafodd '7' fel ateb.

Y dyddiau hyn dysgir plant i edrych yn fanylach ar y ddau rif, 31 ac 18, a'u dehongli fel:

$$31 = 30 + 1$$
$$18 = 10 + 8$$

Ar ôl gweld nad oes modd 'tynnu 8 o 1' cam cymharol hawdd yw gweld y gallwn ail-lunio'r rhif 31 a'i ysgrifennu fel 20 + 11:

$$31 = 20 + 11$$
$$18 = 10 + 8$$

Trwy wneud hynny gwelwn fod modd i ni dynnu '8' o '11' gan adael '3' a symud ymlaen wedyn i'r degau gan dynnu '10' o '20' i adael '10'. Mae'r sym dynnu bellach yn edrych fel hyn:

$$
\begin{array}{r}
31 = 20 + 11 \\
-\ \underline{18 = 10 + 8} \\
10 + 3
\end{array}
$$

Yr ateb, felly, yw '10 + 3', sef 13.

Os ydych chi'n gyfarwydd â'r dull hwn o dynnu mae'n bosibl eich bod hefyd yn cofio mai 'dadelfennu' yw'r term technegol amdano, sef ein bod yn torri'r rhif 31 yn rhannau – yn 'dadelfennu' y rhif – cyn ei ailysgrifennu fel 20 + 11. Ar bapur gall y broses ymddangos fel hyn:

$$\begin{array}{r} {}^{2}\!\!\not{3}\,^{1}1 \\ -\ 18 \\ \hline 13 \end{array}$$

Mae'n bosibl hefyd fod hyn i gyd yn gwbl ddieithr i chi a'ch bod â rhyw rith gof o ddefnyddio dull cwbl wahanol. A siarad yn fras, os oeddech yn ddisgybl mewn ysgol gynradd yn ystod y 1980au neu wedi hynny mae'n debygol mai'r dull dadelfennu a gyflwynwyd i chi. Os oeddech yn yr ysgol mewn cyfnod cyn hynny, fel yr oeddwn i, yna mae'n debygol y cawsoch eich tywys i ddirgelion dull llawer anoddach ei egluro ond un a oedd yn dwtiach i'w ysgrifennu ar bapur – dull *gwybod sut* ond nid *deall pam*. Efallai hefyd eich bod yn cofio defnyddio'r ymadrodd 'benthyg a thalu'n ôl' neu '*borrow and pay back*', neu eiriau tebyg, wrth ddefnyddio'r dull hwnnw.

Profiad cyffredin yw gweld rhieni neu neiniau a theidiau sydd wedi arfer gyda'r dull 'benthyg a thalu'n ôl' yn ceisio rhoi cymorth i'w plant neu eu hwyrion sydd yn defnyddio'r dull 'dadelfennu' – a phawb yn mynd i'r gors! Yn y dull 'benthyg a thalu'n ôl' byddai sym Emyr yn edrych fel hyn:

$$
\begin{array}{r}
3\overset{|}{1} \\
- \ \underset{1}{1}8 \\
\hline
13
\end{array}
\qquad \text{neu} \qquad
\begin{array}{r}
3\overset{|}{1} \\
- \ ^{2}\cancel{1}8 \\
\hline
13
\end{array}
$$

Wrth ddysgu'r dull hwn dysgwyd plant i ddweud, 'Un (1) tynnu wyth (8) fedrwch chi ddim, rhoi benthyg un (1) i'r top a thalu un (1) yn ôl i'r gwaelod. Un deg un (11) tynnu wyth (8) yw tri (3); tri (3) tynnu dau (2) yw un (1). Ateb, un deg tri (13).' Os na wnaethoch chi ddeall hynny, peidiwch â phoeni, does prin neb arall yn ei ddeall ychwaith! Rwdlan yw'r cyfan, ac enghraifft berffaith o ailadrodd peiriannol, o *wybod sut* heb *ddeall pam*. Ydy, mae'r ateb yn gywir ac, os dyna yw eich unig nod, mae'r dull 'benthyg a thalu'n ôl' yn ateb y gofyn. Ond os ydych yn dymuno deall yn iawn, yna nid yw'r dull hwn o unrhyw werth. Yn waeth na hynny, roedd cyflwyno'r dull yn annog plant i gredu nad oeddech i fod i ddeall go iawn yn y wers syms, mai dysgu fel poli-parot oedd y drefn a rhaid oedd bodloni ar hynny. Rhywbeth i'ch cadw'n ddistaw oedd gwaith syms, nid rhywbeth i'w ddeall, ac yn sicr nid rhywbeth i'w fwynhau.

Oes, mae modd egluro pam mae'r dull 'benthyg a thalu'n ôl' yn gweithio a pham mae'n rhoi'r atebion cywir ond mae'r eglurhad yn rhy gymhleth o lawer i blant ysgol. Mae'n rhy gymhleth, yn wir, ar gyfer y rhan fwyaf o oedolion. Profiad cenedlaethau o athrawon oedd gorfod dysgu'r dull hwn i'w disgyblion heb allu cynnig unrhyw fath o gyfiawnhad drosto. Roedd yn rhaid iddynt fodloni ar ddysgu *sut* i wneud y sym yn fecanyddol, heb egluro *pam* roedd y dull yn gweithio. Ychydig iawn iawn o athrawon mewn ysgolion cynradd oedd yn deall y dull, ac nid yw hynny'n syndod o gwbl. Serch hynny, roedd athrawon yn gwneud eu gorau glas i helpu eu disgyblion i gofio'r dull ac yn eu drilio yn y geiriau yr oedd angen eu hailadrodd yn fecanyddol bob tro.

Cofiaf yn y 1980au cynnar ymweld ag ysgol fach wledig. Dysgid y babanod i gyd mewn un dosbarth ac roedd piano yng nghornel yr ystafell. Nid oedd y dulliau 'modern' wedi cyrraedd yr ysgol hon ac roedd yr athrawes yn ceisio helpu'r 'babanod top' i gofio sut i dynnu. 'Ydach chi'n cofio, blant? Rhaid i ni "fenthyg un" fan hyn, yn rhaid?' gan ychwanegu, 'a'i fenthyg *o'r tu ôl i'r piano*.' Doedd gen i mo'r galon i ofyn sut oedd y plant yn ymdopi â symiau tynnu pan nad oedd piano yn digwydd bod ar gael! Mewn rhai ysgolion cynradd yng nghymoedd glofaol de Cymru roedd y dulliau o gynorthwyo'r plant i gofio'r 'benthyg a thalu'n ôl' yn cynnwys y ddelwedd *'one up the winder and one down the pit'*. Mae'n debyg mai'r cymal a ddefnyddid mewn rhai ysgolion cynradd Catholig oedd *'one for heaven and one for hell'*. Geiriau gwneud yw 'benthyg a thalu'n ôl' – ymadrodd diystyr. Y mae i'r ymadrodd wreiddiau hynafol, ond nonsens yw nonsens, hynafol neu beidio.

Goroesodd y dull 'benthyg a thalu'n ôl' gan ei fod fymryn yn dwtiach ar bapur na'r dull 'dadelfennu', ac roedd honno'n ddadl gref yn y cyfnod o gadw cyfrifon yn dwt ac yn daclus mewn busnes a masnach, mewn banc a swyddfa bost. Mewn oes a fu, cyflogid clercod wrth y cannoedd i wneud y tasgau hyn. Bellach mae peiriannau electronig – cyfrifiaduron a chyfrifianellau – yn gwneud llawer o'r gwaith. Mae plant yn parhau i ddysgu sut i dynnu, wrth gwrs, ond y dull 'dadelfennu' sy'n cael ei ddefnyddio mewn ysgolion. Gyda'r dull hwnnw mae athrawon yn gallu cyflawni'u cyfrifoldeb i egluro'r rheswm *pam*.

*   *   *

Roedd Robert Recorde wedi pendroni llawer yn 1543 ynghylch sut orau i gyflwyno tynnu yn ei lyfr ar rifyddeg, *The Ground of Artes*. Y dull 'benthyg a thalu'n ôl' oedd yn mynd â hi bryd hynny hefyd ond roedd Recorde yn gweld nad hawdd fyddai ei egluro. Dewisodd osgoi'r broblem. Ar ôl i'r athro ddangos y rheol (y *gwybod sut*) i'r disgybl, ychwanega y byddai'n ei egluro (y *deall pam*) rywbryd eto. Nid yw Recorde yn gwbl gyfforddus gyda hyn, gan mai ei nod yw sicrhau fod y disgybl yn gweld rheswm ym mhob dim – '*se the reasons in euery thynge*' – ond penderfynu osgoi cynnig eglurhad a wnaeth. Er iddo addo dod yn ôl at y mater, ni chadwodd Recorde at ei addewid ac aeth ei fryd ar bethau eraill yng ngweddill ei lyfr ac osgoi dychwelyd at y dull tynnu. Mae'n siŵr y byddai wedi gallu cydymdeimlo â'r byddinoedd o athrawon dros y pum can mlynedd ers hynny a fu hefyd yn ceisio dysgu tynnu i'w disgyblion.

Osgoi'r broblem hefyd wnaeth awduron llyfrau rhifyddeg dros y canrifoedd ers dyddiau Recorde. Enghraifft ddiddorol yw'r Cymro John Thomas (1757–1835). Yn enedigol o blwyf Llannor, ger Pwllheli, cafodd John Thomas yrfa amrywiol, yn wehydd, yn forwr, yn ysgolfeistr ac yn swyddog tollau yn Lerpwl. Bu'n byw am tua chwarter canrif yn ardal Nantglyn, sir Ddinbych. Yn 1795 cyhoeddodd John Thomas lyfr Cymraeg mewn pedair rhan dan y teitl *Annerch i Ieuengctyd Cymru*. Mae ail ran y llyfr yn werslyfr ar rifyddeg. Roedd John Thomas yn amlwg wedi darllen un o argraffiadau diweddarach *The Ground of Artes,* llyfr Recorde ar rifyddeg. Mae gwaith Recorde yn ddylanwad clir ar drefn a chynnwys yr *Annerch*. Mae John Thomas yn codi rhai o'i enghreifftiau o lyfr Recorde ac mae'n dilyn dull Recorde o gyflwyno mathemateg ar ffurf sgwrs rhwng athro a disgybl. Rhoddodd yr enw 'Philo' ar ei athro a'r enw 'Tyro' ar y disgybl. Mae Philo yn dalfyriad o Philomathes (Groeg am un sy'n caru gwybodaeth), a daw Tyro o'r Lladin *tiro*, sef milwr ifanc dan hyfforddiant.

Yng nghyfrol John Thomas mae'r athro'n arwain y disgybl o gam i gam i ddeall y cynnwys. 'Gwell yw ymarfer awr na siarad diwrnod' yw cyngor Philo wrth iddo annog Tyro i dreulio amser yn gwneud ymarferiadau er mwyn gwella'i ddealltwriaeth. Wynebodd John Thomas yr un her â Robert Recorde wrth iddo geisio penderfynu sut i gyflwyno symiau tynnu. Ar ôl i Philo gyflwyno'r dull 'benthyg a thalu'n ôl' mae Tyro yn cyfaddef ei fod wedi drysu ac yn gofyn i Philo am ragor o gymorth: 'Nid ydwyf yn medru eich deall yn iawn mewn perthynas i'r benthyca, gan hynny dangoswch y dull imi yn eglurach drwy esampl.'

Mae Philo yn fwy na pharod i'w helpu ac yn arwain Tyro drwy'r sym 834–679. Mae hyn o gryn gymorth i Tyro ond mae'n parhau i fod yn anhapus gyda'r dull 'benthyg a thalu'n ôl' ac yn gwneud sylw sy'n dangos y byddai'n llawer gwell ganddo ddefnyddio'r dull 'dadelfennu' am ei fod yn haws i'w ddeall. Rydym yn synhwyro bod yr athro'n cytuno â Tyro, a'r unig ffordd y gall ymateb iddo yw trwy ddweud mai'r dull 'benthyg a thalu'n ôl' yw'r un sydd, er gwell, er gwaeth, wedi ennill ei blwyf. Y dull hwn, meddai Philo, yw'r un 'yr ydys yn arferu yn gyffredinol' ond mae'r athro yn amlwg yn anfodlon ar ei eglurhad. Yr un rhwystredigaeth yn union a brofodd athrawon cynradd ar hyd y blynyddoedd – gorfod bodloni ar ddefnyddio dull nad oedd modd ei egluro!

Elwodd John Thomas ar waith Cymro arall, Robert Recorde, a oedd wedi paratoi'r tir tua 250 o flynyddoedd ynghynt. Roedd John Thomas yn benderfynol o gyflwyno elfennau rhifyddeg i'w gyd-Gymry yn eu hiaith eu hunain ac yn gwneud ei orau glas i gynnig eglurhad llawn o'r cynnwys. Byddai Emyr wedi bod wrth ei fodd yn ddisgybl yn ei ddosbarth.

*   *   *

Mae'r tensiwn rhwng *gwybod sut* a *deall pam* yn hen thema. Dyrnu syms i'w pennau oedd nod gwersi i blant y dosbarth gweithiol yn ysgolion oes Fictoria. Cael eu cyflwyno i ddulliau ymresymu Ewclid mewn gwersi ar geometreg oedd profiad plant ysgolion bonedd. *Gwybod sut* ac ufuddhau i orchmynion oedd dyletswydd y dosbarth gweithiol; *deall pam* a dysgu ymresymu oedd y nod ar gyfer y dosbarth rheoli.

Pos y 'Double Rule of Three'

Un o ganeuon y ddeuawd boblogaidd Tony ac
Aloma yn 1969 oedd 'Yr Hen Ysgol yn y Wlad', a
oedd yn cynnwys y pennill rhyfedd hwn:

> Ac yn *numeration* clywir rhai
> yn difyr gyfri fry,
> A'r lleill yn dringo'n uwch ac yn uwch
> i'r 'Double Rule of Three'.

Beth oedd y 'Double Rule of Three'?

Thomas Gradgrind oedd yr athro Fictoraidd yn
nofel Charles Dickens *Hard Times* a'i enw'n ddigon
i awgrymu natur gul yr addysg a gyflwynid ganddo
mewn ysgol i blant y dosbarth gweithiol: 'Now, what
I want is, facts. Teach these boys and girls nothing
but facts. Facts alone are wanted in life. Plant nothing
else, and root out everything else.' Ganrif a mwy yn
ddiweddarach roedd Rhodes Boyson, gweinidog addysg
yn llywodraeth Margaret Thatcher, yn cael ei gyfweld ar
raglen deledu. Wrth ymateb i gwestiwn am nod addysg
yn y Cwricwlwm Cenedlaethol, sef yr hyn y mae raid
i blant ysgolion y wlad eu dysgu, meddai, 'Two twos

are four, you don't ask why, it just is.' I Rhodes Boyson, Gradgrind yr ugeinfed ganrif, dysgu'r ffaith oedd yn bwysig, nid ei deall. Nid yw'r Cwricwlwm Cenedlaethol yn orfodol mewn ysgolion bonedd.

Rhan o gamp y radical Robert Recorde oedd cyflwyno syniadau mathemategol i bobl gyffredin Saesneg eu hiaith mewn dull dealladwy a chlir. Rhan o gamp y radical John Thomas oedd parhau'r weledigaeth honno yn Gymraeg.

7

a pha le y mae trigfan deall?

(Job 28:12)

Beth yw'r cysylltiad rhwng ynys Sisili ac ynys Môn? A bod yn fwy manwl, beth yw'r cysylltiad *mathemategol* rhwng y ddwy ynys?

Er mwyn arwain eich meddwl yn fwy penodol fyth, dychmygwch eich bod yn crwydro ar hyd y traeth yn un o bentrefi glan môr Môn. Wrth gerdded, rydych yn mwynhau hufen iâ lleol, a hwnnw'n llenwi'ch côn i'r ymylon â hanner sffêr (sef siâp pêl) o hufen iâ ar ei ben.

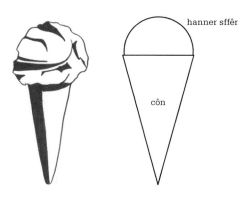

Ymhell dros ddwy fil o flynyddoedd yn ôl darganfu Archimedes (*c*.287–212 CC) nifer o fformiwlâu am siapiau crwm fel y côn a'r sffêr (tri dimensiwn) a'r cylch (dau ddimensiwn). Yn enedigol o dref Syracuse ar ynys Sisili, Archimedes oedd mathemategydd a gwyddonydd pennaf ei gyfnod ac, yn ddi-os, un o fathemategwyr disgleiriaf hanes. Meddyliwch am y gamp o lunio dull o gyfrifo arwynebedd (*area*) cylch. Mae darganfod fformiwla ar gyfer arwynebedd petryal – 'hyd × lled' – yn chwarae plant o'i gymharu â'r sialens o gyfrifo arwynebedd siâp fel cylch ac iddo ochrau crwm. Sut mae modd hyd yn oed dechrau ar y dasg? Dyna oedd camp Archimedes. Llwyddodd i gyfrifo arwynebedd cylch yn ogystal â'r pellter o amgylch ei ymyl – ei gylchedd (*circumference*). Llwyddodd hefyd i gyfrifo maint arwyneb siapiau crwm tri dimensiwn, fel sffêr a chôn, yn ogystal â'r gofod a lenwir ganddynt – eu cyfaint (*volume*). Iddo ef y mae'r diolch ein bod heddiw yn gallu cyfrifo, ymysg llu o bethau eraill, gyfaint a phwysau'r byd crwn rydym yn byw arno. Wrth fwynhau'ch hufen iâ, byddech yn gallu defnyddio fformiwlâu Archimedes i gyfrifo faint ohono sy'n llenwi'r côn a faint sy'n ffurfio'r hanner sffêr ar ei ben!

Y peth rhyfeddol yw fod pob un o'r fformiwlâu hyn yn dibynnu ar rif arbennig iawn, sydd ychydig yn fwy na 3. Roedd Archimedes yn gwybod hynny ac roedd ganddo syniad bras o'i faint. Erbyn heddiw rydym yn gwybod llawer iawn mwy am y rhif hwn. Ei werth yw 3.141592 … lle mae'r dotiau'n dangos fod y degolyn yn mynd ymlaen ac ymlaen am byth!

Pos π

14 Mawrth yw Diwrnod Rhyngwladol Pai. Mae'r dathlu'n digwydd ar yr un dyddiad bob blwyddyn.

Pam y dyddiad hwnnw?

Dwy fil o flynyddoedd, bron, ar ôl i Archimedes ddatblygu ei gyfres o fformiwlâu, awgrymodd William Jones (1674–1749), mathemategydd di-goleg o Fôn, symbol arbennig i gynrychioli rhif Archimedes, sef y llythyren Roegaidd π (pai). Mae'r symbol π yn ymddangos am y tro cyntaf yn 1706 mewn llyfr mathemateg gan William Jones.

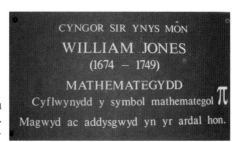

Llechen ar fur ysgol gynradd Llanfechell, Ynys Môn.

Trwy'r cyfuniad o wreiddioldeb meddwl Archimedes o Sisili dros ddwy fil o flynyddoedd yn ôl a thaclusrwydd meddwl William Jones o Fôn dair canrif yn ôl, mae pob disgybl ysgol uwchradd heddiw yn cael ei gyflwyno i ddwy fformiwla am gylchoedd, sef:

cylchedd cylch = diamedr y cylch $\times \pi$
arwynebedd cylch = radiws y cylch $\times$ radiws y cylch $\times \pi$

Efallai eich bod yn cofio'r fformiwlâu hyn o'ch dyddiau ysgol fel:

cylchedd cylch = πD *neu* cylchedd cylch = 2πr
ac
arwynebedd cylch = πr^2

(Yn y fformiwlâu hyn, mae 'D' yn cynrychioli hyd diamedr y cylch ac mae 'r' yn cynrychioli hyd ei radiws. Mae D = 2r, gan fod hyd y diamedr yn ddwbl hyd y radiws.)

Ydy hyn yn canu cloch?

Yn uwch i fyny'r ysgol bydd rhai hefyd yn cael eu cyflwyno i fformiwlâu eraill Archimedes am siapiau tri dimensiwn, gan gynnwys sffêr a chôn. Yr hyn sy'n gyffredin i'r holl fformiwlâu hyn yw'r defnydd o'r rhif rhyfeddol π. Mae plant oed cynradd yn gallu cyfrifo arwynebedd a chyfaint trwy amrywiaeth o ddulliau, gan gynnwys rhai ymarferol, ond ni fyddant yn defnyddio fformiwlâu Archimedes! Y peth hanfodol yn y blynyddoedd cynnar yw i blant gael profiad ymarferol er mwyn iddynt ddod i ddeall natur y mesurau hyn, er enghraifft, mai mesur o *faint* siâp yw ei arwynebedd. Nid gwybod y fformiwla yw'r peth pwysicaf. Wrth ddefnyddio iaith ein pennod gyntaf, *gwybod sut* yw defnyddio fformiwla ond mae *deall pam* yn fwy o her o lawer.

*   *   *

Arhoswn am ychydig gyda hanes William Jones, un o feibion enwocaf Ynys Môn. Fe'i ganed yn y Merddyn, tyddyn ger eglwys y plwyf Llanfihangel Tre'r-beirdd, yng nghanol yr ynys. Pan oedd William yn blentyn symudodd y teulu i ardal Llanfechell, ychydig o filltiroedd i'r gogledd. Aeth i ysgol y pentref, a daeth ei ddoniau mathemategol cynnar i sylw'r Arglwydd Bulkeley, a drefnodd iddo fynd i Lundain. Braidd yn niwlog yw ei hanes cynnar yn Llundain ond mae'n ymddangos iddo gael ei gyflogi fel cyfrifydd i fasnachwr a'i hanfonodd ar fordaith i India'r Gorllewin.

Cafodd flas ar fywyd ar y môr ac, yn ugain oed, fe'i penodwyd i swydd ar long ryfel yn rhoi gwersi ar fathemateg i'r criw. Ar sail y profiad hwn cyhoeddodd ei lyfr cyntaf yn 1702, ar fathemateg mordwyo, yn ganllaw ymarferol ar gyfer hwylio'r moroedd. Yn fuan

William Jones (1674–1749).
Yr Oriel Bortreadau Genedlaethol.

wedyn, yn 1706, cyhoeddodd William Jones ei brif lyfr ar ffurf crynodeb o gyflwr mathemateg ei gyfnod, *Synopsis palmariorum matheseos,* teitl Lladin ar lyfr y mae ei gynnwys yn Saesneg. Ystyr y teitl yn fras yw 'Crynodeb o orchestion mathemateg'. Yn y llyfr hwn y mae'r arwydd π yn ymddangos am y tro cyntaf i ddynodi cymhareb (*ratio*) cylchedd cylch i'w ddiamedr. Yn yr iaith Roeg, π yw llythyren gyntaf y gair am ffin (περιφέρεια), a π hefyd yw llythyren gyntaf y gair am berimedr (περίμετρος). Tybir fod y naill neu'r llall wedi dylanwadu ar ddewis y symbol arbennig hwn. William Jones oedd y person cyntaf i sylweddoli bod y degolyn 3.141592 … yn mynd ymlaen ac ymlaen am byth, ac nad oedd yn bosibl mynegi'r rhif yn union. Dyna oedd camp William Jones, a dyna pam yr oedd angen symbol arbennig ar gyfer y rhif. Poblogeiddiwyd y symbol π yn 1737 gan y mathemategydd dylanwadol o'r Swistir Leonhard Euler, ond bu raid aros tan 1934 cyn i'r symbol gael ei fabwysiadu'n rhyngwladol. Bellach, mae'r symbol π yn gyfarwydd i bob disgybl ysgol uwchradd. I William Jones y mae'r diolch am hynny.

Daeth William Jones yn gyfeillgar â Thomas Parker, Iarll Macclesfield, a bu'n byw yng nghartre'r teulu, Castell Shirburn, ger Rhydychen, lle bu'n ddiwtor i'r mab, George Parker, yr ail iarll. Cafodd nifer o swyddi dan y Goron a chasglodd at ei gilydd lyfrgell wyddonol heb ei hail yn Shirburn. Cadwodd gyswllt achlysurol â Chymru, yn arbennig trwy Forrisiaid Môn – roedd genhedlaeth yn hŷn na'r brodyr ond yn hanu o'r un ardal.

Yn sgil cyhoeddi ei *Synopsis*, daeth doniau William Jones i sylw dau o brif fathemategwyr Prydain ar y pryd, sef Edmund Halley (yr enwyd comed ar ei ôl) a Syr Isaac Newton. Etholwyd William Jones yn Gymrawd o'r Gymdeithas Frenhinol (FRS) yn 1711 a bu'n is-lywydd y gymdeithas yn ystod rhan o gyfnod llywyddiaeth Syr Isaac Newton. Daeth yn aelod pwysig a dylanwadol o'r sefydliad gwyddonol. Bu William Jones yn gyfrifol am gopïo, golygu a chyhoeddi llawer o lawysgrifau Newton ei hun. Yn 1712 fe'i penodwyd yn aelod o bwyllgor a sefydlwyd gan y Gymdeithas Frenhinol i benderfynu p'un ai'r Sais, Newton, neu'r Almaenwr, Gottfried Wilhelm Leibnitz, oedd sefydlydd y calcwlws – un o feysydd sylfaenol mathemateg. Dyfarnwyd o blaid Newton – penderfyniad nad oedd yn gwbl annisgwyl dan yr amgylchiadau!

Priododd William Jones ddwywaith. Ganwyd un o blant ei ail briodas brin dair blynedd cyn iddo farw, yn 74 oed. Syr William Jones oedd y mab hwnnw, un o brif farnwyr India ac arbenigwr ar ieithoedd y dwyrain. Sefydlodd Syr William gysylltiadau rhwng ieithoedd Ewrop ac India a phrofi eu bod yn tarddu o'r un gwreiddyn. Dywedir iddo gael ei gyflwyno ar un achlysur i frenin Ffrainc fel un a oedd yn gwybod pob iaith ond ei iaith ei hun – y Gymraeg! Gallwn dybio, o wybod am ardal ei fagwraeth, fod William Jones, y tad, yn gallu siarad Cymraeg, er nad oes prawf pendant o hynny.

Bu farw William Jones yn Llundain yn 1749 a'i gladdu yn eglwys St Paul, Covent Garden. Yn ei ewyllys gadawodd ei lyfrgell o tua 15,000 o gyhoeddiadau a rhyw 50,000 tudalen o lawysgrifau, gan gynnwys nifer o lawysgrifau Newton, i drydydd Iarll Macclesfield. Diogelwyd tua 350 o lyfrau a llawysgrifau Cymraeg o'r llyfrgell ac, ers tua'r flwyddyn 1900, dyma Gasgliad Shirburn y Llyfrgell Genedlaethol yn Aberystwyth. Ganrif yn ddiweddarach, yn 2001, gwerthwyd y rhan honno o lyfrgell William Jones oedd yn cynnwys papurau a llyfrau nodiadau Syr Isaac Newton i lyfrgell Prifysgol Caer-grawnt am tua £6m, arian a godwyd yn rhannol trwy gyfraniadau unigolion. Gwerthwyd rhan helaeth o weddill cynnwys y llyfrgell mewn cyfres o arwerthiannau yn 2004 a 2005 a drefnwyd gan gwmni Sotheby's, Llundain. Codwyd rhai miliynau o bunnoedd yn yr arwerthiannau hyn. Er enghraifft, gwerthwyd copi o lyfr y seryddwr Johann Kepler, *Harmonices mundi*, am yn agos at £100,000, a chlasur Newton, *Principia mathematica*, am £60,000. Roedd llyfr William Jones ei hun, *Synopsis palmariorum matheseos,* yn fargen am yn agos i £8000! Yn un llyfr o waith Newton, wedi'i olygu gan William Jones, a oedd yn anrheg gan William Jones i deulu Macclesfield, roedd darn rhydd o bapur yn llawysgrifen Isaac Newton ei hun. Gwerthwyd y daflen honno – *un* daflen – am £90,000! Elwodd y teulu Macclesfield yn sylweddol ar y gwerthiant, ond mae'r casgliad amhrisiadwy hwn bellach ar wasgar mewn llyfrgelloedd ac yn nwylo casglwyr preifat. Mae peth dirgelwch yn aros ynghylch papurau personol William Jones ei hun. Mae'n debyg fod teulu Macclesfield wedi gwrthod eu rhyddhau a bod rhyw awgrym o sgandal y bu'r teulu'n ceisio'i chuddio. Byddai'r papurau'n sicr o daflu rhagor o oleuni ar y cymeriad arbennig hwn, ar ei berthynas ag ieirll Macclesfield, ac ar ei daith ryfeddol o dyddyn ym Môn i fod yn aelod o'r sefydliad mathemategol, ac yn un o sêr y sefydliad hwnnw.

Mae gwaith William Jones, yn arbennig ei weledigaeth ynghylch pwysigrwydd y rhif π, yn parhau i swyno mathemategwyr heddiw. Roedd Dr Jan Abas (1936–2009), aelod o Adran Mathemateg Prifysgol Bangor, wedi'i gyfareddu'n llwyr gan William Jones ac ar dân i godi ymwybyddiaeth o'i waith a'i athrylith. Mae'r llun gyferbyn yn deyrnged ganddo i'w waith. Mae'n llawn symboliaeth: yr arwydd π yn y canol; y llun wedi'i rannu'n dair rhan i danlinellu'r ffaith mai tua 3 yw gwerth π; y cylchoedd y defnyddir π i'w mesur; a'r dilyniant o gylchoedd sydd yn mynd yn llai ac yn llai, wrth i'r degolion yn π leihau.

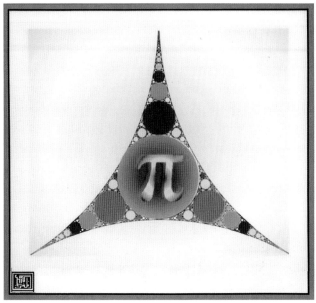

Llun gan Jan Abas – teyrnged weledol i waith mathemategol William Jones.

*   *   *

Fel rhan o'm gwaith fel ymgynghorydd mathemateg fe es i ymweld ag ysgol gynradd yng nghanol ynys Môn, heb fod ymhell o fan geni William Jones. Mewn gwers i blant deg oed cefais gwmni grŵp o ddisgyblion oedd yn gweithio'n galed ar arwynebedd, testun gwers fathemateg y bore hwnnw. Yn eu mysg roedd Betsan wrthi'n ddygn yn tyrchu drwy lond tudalen o dasgau. Roedd pob tasg yn gofyn iddi gyfrifo arwynebedd siâp petryal: weithiau'n lawnt, weithiau'n gae ac weithiau'n wal. Ond yr un egwyddor oedd yn sail i bob cwestiwn, sef defnyddio'r fformiwla:

$$\text{arwynebedd} = \text{hyd} \times \text{lled}$$

Roedd y symiau cyntaf yn eithaf rhwydd, fel cyfrifo arwynebedd lawnt sy'n mesur 3 metr o hyd a 2 fetr o led. Wrth iddi weithio'i ffordd o un cwestiwn i'r llall roedd y symiau'n mynd yn anoddach ac yn cynnwys ambell her fel 17×23 a hyd yn oed rhai yn cynnwys degolion, fel 6.5×2.4 ond yr un oedd yr egwyddor bob tro, sef llunio sym luosi.

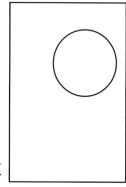

'Pa siâp sydd â'r arwynebedd mwyaf?'

Roedd nifer o siapiau amrywiol ar fwrdd Betsan – yn sgwariau a thrionglau a chylchoedd. Wrth siarad â Betsan am ei gwaith codais un o'r cylchoedd a'i osod ar glawr llyfr oedd ar y bwrdd, gan holi Betsan, 'Pa un sydd â'r arwynebedd mwyaf, clawr y llyfr neu'r cylch?' I mi roedd yr ateb yn gwbl amlwg, wrth gwrs, gan fod y clawr yn sylweddol fwy na'r cylch. Ond pendronai Betsan cyn ymateb, a mentro'n betrusgar, 'Does gan y cylch *ddim* arwynebedd.' Nid hwn, siŵr iawn, oedd yr ateb a ddisgwyliwn, ac roeddwn yn dechrau meddwl efallai nad oedd Betsan wedi deall y cwestiwn yn iawn, a gofynnais yr un cwestiwn yr eildro, 'Sbia ar glawr y llyfr 'ma eto, a sbia hefyd ar y cylch sydd ar y clawr. P'run o'r ddau sydd â'r arwynebedd mwyaf, y clawr neu'r cylch?' Petruso eto wnaeth Betsan cyn ymateb, 'Na, does gan y cylch *ddim* arwynebedd.' Yn hytrach na'i chywiro yn y fan a'r lle – y demtasiwn naturiol – holais yn ddyfnach, 'Pam wyt ti'n deud hynny?' 'Wel,' mentrodd Betsan, yn fwy hyderus erbyn hyn, 'does gan y cylch ddim hyd na lled.'

A dyna'r gath o'r cwd! I Betsan roedd 'arwynebedd' yn gyfystyr â'r fformiwla 'hyd × lled'; nid oedd wedi deall mai ystyr y gair 'arwynebedd' yw 'maint y siâp'. Yn hytrach, iddi hi y fformiwla *oedd* y cysyniad. Os nad oedd gan rywbeth 'hyd' a 'lled' roedd yn dilyn na ellir cyfrifo'i arwynebedd. Roedd Betsan yn rhesymu'n dda ond, gan nad oedd yn dechrau o'r man cywir, roedd yn colli'r ffordd. I bob pwrpas roedd Betsan wedi treulio'r wers yn gwneud symiau lluosi, ac wedi lluosi rhifau bach, rhifau mwy a rhifau ar ffurf degolion. Ond mewn gwirionedd nid oedd wedi cyffwrdd prif ffocws y wers, sef arwynebedd. Ar yr wyneb roedd wedi meistroli'r maes gan ateb pob cwestiwn yn gywir, a thic taclus yr athrawes yn brawf o hynny, ond, wrth ei holi'n ddyfnach, simsan oedd seiliau'r llwyddiant hwnnw. Roedd Betsan yn *gwybod sut*, o leiaf os siapiau petryal oedd dan sylw, ond ansicr iawn oedd ei gafael ar *ddeall pam*.

Mae cysyniad fel arwynebedd yn anodd i'w feistroli; bodloni ar *wybod sut* y bydd llawer os nad y rhan fwyaf o blant, gan obeithio'u bod wedi dewis y fformiwla gywir. Erbyn diwedd yr ysgol gynradd roedd Betsan, fel llawer o blant eraill, yn uniaethu arwynebedd â fformiwla. Pan fyddai'n cyrraedd yr ysgol uwchradd, tybed ai dyna fyddai'n ei disgwyl o fathemateg yn gyffredinol, sef mater o ddysgu dulliau cael atebion, yn hytrach na deall yr hyn sy'n sail i'r dulliau hynny? Ai dyna hefyd fyddai ei phrofiad o ddefnyddio'r fformiwlâu sy'n cynnwys π, y symbol a ddefnyddiwyd gyntaf gan yr hogyn lleol, William Jones? *Gwybod sut* ond methu *deall pam*?

8

Cracio'r cod

Mae'r diwrnod yn aros yn glir fel crisial yn fy nghof, pob manylyn wedi creu argraff ddofn arnaf. Bore Mawrth dinod ddechrau mis Hydref 1984 oedd hi ac roeddwn wedi trefnu i ymweld ag Ysgol Gymraeg Morswyn, ger Caergybi, i fwynhau cwmni'r plant ac i drafod mathemateg o fewn yr ysgol gyda'r athrawon. Ar ôl cael fy nghroesawu'n gynnar y bore gan y pennaeth, Islwyn Williams, dyma ddechrau yn nosbarth y babanod a chynnal sgwrs gyda grŵp bach o blant pump oed o amgylch bwrdd.

Roedd nifer o gownteri'n digwydd bod ar ganol y bwrdd ac yn rhoi cyfle i chwarae gêm fach syml. Ar ôl dewis pum cownter a'u cyfrif yn ofalus gyda'r plant gosodais fy llaw dros rai o'r cownteri gan adael un yn unig yn y golwg. A dyna oedd y cwestiwn: tybed sawl cownter sy'n cuddio dan fy llaw? Ar ôl cryn bendroni a dyfalu, daeth pob math o atebion gan y plant – dau, tri, pedwar, dim un (ia, dim un! – wel, chwarae teg, doedd yna ddim un i'w weld, nag oedd?). O'r diwedd, codais fy llaw a chyfrif faint oedd yno gyda'r grŵp. Wel, ia, pedwar wrth gwrs! Cafwyd hwyl wedyn gyda rhagor o enghreifftiau a'r plant eu hunain yn cymryd eu tro i guddio cownteri a gofyn i'r plant eraill faint oedd yn cuddio.

Daeth yn amlwg yn weddol sydyn nad oedd y gêm hon yn anodd o gwbl i un o'r plant, er nad oedd Gareth, y plentyn hwnnw, yn dymuno tarfu ar hwyl y plant eraill trwy ateb drostynt. Roedd ganddo ddigon o sensitifrwydd, ac yntau'n ddim ond pump oed, i wybod pryd i ateb a phryd i ymatal. Wrth i'r gêm ddirwyn i ben sibrydodd athrawes y babanod yn fy nghlust fod Gareth yn 'reit dda' mewn mathemateg ac efallai yr hoffwn gael gair pellach efo fo ar ei ben ei hun. Aeth y gair pellach hwnnw yn sgwrs chwarter awr. Dechreuais gan estyn y cwestiwn gwreiddiol a gofyn, 'Dychmyga, Gareth, fod gen i gant o betha da ac yn rhoi un i ti. Faint fyddai gen i ar ôl?' Roedd y cwestiwn hwnnw hefyd yn rhy hawdd o'r hanner i Gareth a buan iawn yr oeddwn yn gofyn, 'Beth pe bai gen i *filiwn* o betha da ac yn rhoi un i ti. Faint fyddai gen i ar ôl wedyn?'

Ar ôl meddwl am hanner eiliad cefais ateb gan Gareth ond nid yr ateb yr oeddwn yn ei ddisgwyl. Cyn darllen ymhellach, oedwch am funud a cheisiwch benderfynu beth fyddai'ch ateb chi i'r cwestiwn. Nid yw'n gwestiwn hawdd o bell ffordd a byddai nifer o bobl – yn ddisgyblion ysgol ac yn oedolion – yn baglu wrth chwilio am ateb. Mae'r cwestiwn yn brawf da o ddealltwriaeth rhywun o rifau – y *deall pam* – ac o ddeall sut mae rhifau'n cael eu trefnu yn y dull degol:

deg	10
cant	100
mil	1,000
deg mil	10,000
can mil	100,000
miliwn	1,000,000
ac ymlaen	

Y gamp fawr i blant bach tua saith oed yw deall mai ystyr rhif fel 37 yw 3 deg a 7 uned, a bod hwn yn wahanol i'r rhif 73, sef 7 deg a 3 uned. 'Gwerth lle' yw'r term technegol i ddisgrifio hyn. Wrth i blant symud i fyny'r ysgol gynradd rhaid iddynt ddechrau deall 'gwerth lle' mewn rhifau yn y cannoedd a'r miloedd. Erbyn iddynt gyrraedd diwedd yr ysgol gynradd bydd rhai ohonynt, ond nid pawb o bell ffordd, yn deall 'gwerth lle' yn y miliynau hefyd. Mewn arbrawf gyda phlant deg oed dangoswyd iddynt lun o gloc milltiroedd mewn car. Mae'r cloc yn dangos sawl milltir a deithiwyd gan y car:

0	2	6	9	9

Gofynnwyd i'r plant nodi beth fyddai ar y cloc ar ôl i'r car deithio milltir arall. Llai na hanner y plant (48%) gafodd yr ateb cywir. Hynny yw, roedd dros hanner y plant deg oed hyn yn dangos nad oeddynt yn deall 'gwerth lle' rhifau yn y miloedd. Ychydig iawn, iawn o blant deg oed fyddai'n gallu cynnig ateb cywir i'r cwestiwn a ofynnais i Gareth, sef faint yw un yn llai na miliwn. A dim ond pump oed oedd Gareth.

Ydych chi'n barod erbyn hyn i ddarllen ymlaen?

Yr ateb mewn ffigyrau i'r cwestiwn a ofynnais i Gareth yw 999,999 – â'r coma bach yn dangos lle mae'r miloedd yn dechrau. Nid yw'r confensiwn arbennig hwn o osod coma yn gyffredin i bob gwlad. Defnyddir amrywiaeth o gonfensiynau ar draws y byd, pob un ohonynt yn gymorth i'r darllenydd ddarllen rhifau mawr. Yn y wlad hon y confensiwn yw grwpio'r digidau fesul tri a defnyddio coma i ddangos hynny. Er enghraifft, gallwn weld yn syth mai gwerth £36,683 mewn punnoedd yw tri deg chwe mil, chwe chant wyth deg tri. I'r rhai sy'n gyfarwydd â'r defnydd hwn o'r coma, y ffordd naturiol o ddarllen 999,999 yw mewn dwy ran:

> naw cant naw deg naw mil,
> a
> naw cant naw deg naw.

Ond pump oed oedd Gareth. Nid oedd wedi dod ar draws confensiwn y coma. Doedd hynny ddim yn broblem iddo ond roedd ffurf ei ateb yn wahanol i'r disgwyl, a dyma a ddywedodd (yn y golofn ar y chwith), bron heb oedi dim:

'naw can mil	900,000
naw deg mil	90,000
naw mil	9,000
naw cant	900
naw deg	90
naw'	9

Roedd Gareth yn 'gweld' y rhif yn glir yn ei ben ac yn ei 'ddarllen' fesul digid. Roedd yn deall 'gwerth lle' yn llawn, yn *deall pam*.

Erbyn hynny roedd y ddau ohonom yn dechrau mynd i hwyl a Gareth wedi sylweddoli bod yr ymwelydd â'r ysgol y bore hwnnw ychydig yn wahanol i'r arfer. Aeth i'w boced a thynnu darn o bapur wedi crychu. Ar y papur hwnnw roedd wedi sgriblo'r digidau '1' a '0' nifer o weithiau. Fe'm lloriwyd gan ei frawddeg nesaf: 'Ro'n i'n darllen neithiwr am *binary numbers*.'

Ar un olwg mae *binary numbers* (rhifau deuaidd) yn gallu ymddangos yn bethau digon hawdd gan eu bod yn defnyddio'r digidau '0' ac '1' yn unig. Ond peidiwch â chael eich twyllo – nid ar chwarae bach y mae eu deall yn llawn. Rydym wedi arfer â chyfrif fesul deg gan ddefnyddio'r rhifolion 0, 1, 2, 3, 4, 5, 6, 7, 8, a 9 – a hynny am y rheswm syml fod gennym ddeg bys. Pe byddai'r hil ddynol â dim ond wyth bys – pedwar ar bob llaw, yn lle pump – yna mae'n gwbl sicr mai cyfrif fesul wyth, yn hytrach na fesul deg, fyddai sail ein dull rhifo. (Roeddwn wedi rhyw dybio, yn ddigon diniwed, y byddai pawb yn deall y pwynt hwnnw hyd nes i mi fynd i drafferthion un diwrnod gyda grŵp o fyfyrwyr coleg oedd yn taeru mai fesul deg oedd yr *unig* ffordd i gyfrif – bod rhyw fath o ddwyfol ordinhad wedi bendithio'r rhif deg fel sail y drefn rifo. Hir bu'r dadlau y diwrnod hwnnw!)

Dan y dull deuaidd (*binary*), rydym yn cyfrif nid fesul deg ond fesul dau, gan ddefnyddio'r rhifolion 0 ac 1 yn unig. O ganlyniad mae rhifau deuaidd yn edrych yn debyg i:

$$10,111 \text{ (sef y rhif 23)}$$

neu

$$11,000,101 \text{ (sef y rhif 197)}$$

ac ymlaen, ac roedd hynny'n egluro'r sgriblan ar bapur Gareth. Maent yn ddefnyddiol iawn ym myd cyfrifiaduron ac yn sail i ddatblygiadau yn y byd hwnnw. Mae rhifau deuaidd yn edrych fel pe baent wedi'u hysgrifennu mewn cod arbennig, nad yw'n hawdd ei ddeall o bell ffordd. Awn ni ddim ati i egluro'r cod yn llawn yma a does dim angen ei ddeall i werthfawrogi camp Gareth. Y peth rhyfeddol y bore hwnnw oedd fod Gareth, yn bump oed, yn deall rhifau deuaidd yn llawn. Roedd wedi cracio'r cod. Pan ofynnais iddo faint oedd y rhif 'un yn llai na 1,000,000' yn y dull deuaidd, ysgrifennodd yr ateb ar ei ben ac yn hollol gywir.

Peth rhyfeddach fyth oedd nad oedd Gareth wedi dangos ei sgrapyn papur i neb arall yn yr ysgol ac yn sicr nid i athrawes y babanod. Chwarae teg, nid oedd disgwyl iddi hi fod yn hyddysg mewn rhifau deuaidd, ond roedd gan Gareth ddigon o sensitifrwydd i wybod hynny a pheidio ag achosi unrhyw embaras iddi. Roedd synnwyr cyffredin yr hogyn bach yn gwbl anghyffredin. Wrth i mi ymweld â dosbarthiadau eraill yn yr ysgol y diwrnod hwnnw fe'm dilynwyd gan Gareth o un dosbarth i'r llall ac ymunodd yn y sgyrsiau gyda phlant o bob oed gan ddeall yn syth beth oedd ar droed. Roedd ei ddawn i *ddeall pam* yn anhygoel. Bu'n fraint cael bod yn ei gwmni.

*   *   *

Peth rhyfedd yw'r cof. Mae rhai pethau, fel fy mhrofiad yng nghwmni Gareth bron i ddeng mlynedd ar hugain yn ôl, yn aros yn glir fel ddoe a phethau eraill yn mynnu aros yn niwlog. Gallwch eich perswadio eich hun ar brydiau eich bod yn cofio rhywbeth yn llawn ond mewn gwirionedd yr isymwybod sydd wedi llenwi llawer o'r bylchau heb i chi sylweddoli hynny.

Yn nameg y ddafad golledig gallwn daeru mai 'cant namyn un' (sef un yn llai na chant) oedd nifer y defaid ar ôl yn y gorlan pan aeth y bugail i chwilio am yr un oedd wedi crwydro ymhell. Roedd y gair bach cyfleus hwnnw – 'namyn' – wedi cydio yn fy nychymyg o ddyddiau'r ysgol Sul fel ffordd dwt a chlyfar cyfieithwyr y Beibl o gyfeirio at rif a fyddai fel arall yn anodd ei sgwennu. At ei gilydd, glynu at y dull o gyfrif fesul ugain mae'r cyfieithiad hwnnw (ugain – 20; deugain – 40; trigain – 60; pedwar ugain – 80). Yn y dull ugeiniol byddai 99 yn 'bedwar ar bymtheg a phedwar ugain'. Mae 'namyn' yn cynnig ffordd syml a thwt o osgoi hynny, a'r cymal 'cant namyn un' yn dweud y cyfan mewn tri gair. Y gair 'namyn', mewn gwisg wahanol, oedd hanfod fy sgwrs â Gareth yn Ysgol Morswyn – roedd Gareth wedi cyfrifo 'cant namyn un' a 'miliwn namyn un' mewn amrantiad.

Ydy 'cant namyn un' yn canu cloch i chi hefyd? Os ydy o, mae eich cof chi, fel fy nghof innau, yn fylchog, oherwydd nid felly y mae'r ymadrodd yn ymddangos ym Meibl William Morgan. Yn ôl Efengyl Luc, nifer y defaid yn y gorlan oedd 'amyn un pum ugain'. Mae trefn y geiriau'n groes i'r hyn a ddisgwyliwn, mae 'namyn' wedi troi'n 'amyn', ac mae cryfder y dull ugeiniol wedi sicrhau mai 'pum ugain' sy'n ymddangos yn hytrach na 'cant'. Erbyn i ni gyrraedd y cyfieithiadau mwy modern does dim problem oherwydd 'naw deg naw' yw 99 yno bob tro, y dull ugeiniol wedi'i drechu gan y dull degol o gyfrif – deg, dau ddeg, tri deg ac ymlaen – a'r gair 'namyn' yn ddiangen. Ceir mwy o enghreifftiau o'r defnydd o 'namyn' ym Meibl William Morgan, fel yn nisgrifiad Efengyl Ioan o'r dyn ar lan llyn Bethesda 'yr hwn a fuasai glaf namyn dwy flynedd deugain', sef dwy flynedd yn fyr o ddeugain mlynedd (38 mlynedd). Ac yn llyfr y proffwyd Esra darllenwn fod 'namyn tri pedwar ugain o ŵyn' wedi'u hoffrymu i Dduw Israel, neu 'saith deg a saith o ŵyn' (77), yn ôl y cyfieithiad diweddaraf.

Roedd y gair 'namyn' i'w weld hefyd yn *Llyfr Gweddi Cyffredin* yr Eglwys Anglicanaidd. Yn y llyfr hwnnw rhestrwyd 39 datganiad ffydd yr Eglwys dan y pennawd *Namyn un deugain erthyglau crefydd.* Ymddangosodd y teitl hwn gyntaf yn 1687 ac fe'i defnyddir hyd heddiw. Mewn ambell ardal defnyddid 'namyn' o dro i dro mewn eglwys a chapel am resymau eraill. Er enghraifft, yn rhannau o sir Benfro clywid 'deunaw namyn un' am 17, 'deunaw namyn dau' am 16, a 'deunaw namyn tri' am 15, yn bennaf mewn oedfaon capel a hynny mor ddiweddar â'r 1960au. Pwy heddiw a fyddai'n deall 'Canwn yr emyn rhif tri chant a deunaw namyn tri (315)'?

Pos y dull deuaidd

Beth yw'r rhif sydd un yn llai na 1,000 yn y dull deuaidd?

Er bod iddo fymryn o flas oes wahanol ac, yn arbennig, o fywyd crefyddol yr oes honno, mae'r gair bach 'namyn' yn parhau i gael ei ddefnyddio'n achlysurol mewn llenyddiaeth ac mewn sgwrs. Mae Gerallt Lloyd Owen yn cofio cael ei ddwrdio gan diwtor yn y Coleg Normal am fod yn hwyr i frecwast: 'Roeddech chi'n olaf i frecwast y bore 'ma, ac yn olaf namyn un ddoe.' A dyna Dei Tomos, wrth sylwebu i Radio Cymru ar yr Ŵyl Gerdd Dant, yn ochneidio ei fod 'wedi bod yn siarad am gerdd dant am bedair awr namyn munud'. Fe'i defnyddir weithiau mewn ffyrdd mwy annisgwyl, fel yn achos Gareth Glyn wrth iddo adrodd ar *Post Prynhawn* Radio Cymru 'y bydd y tymheredd yn gostwng heno i namyn tair gradd' (sef, tair gradd yn is na'r rhewbwynt). Ar un olwg mae 'namyn un' yn cyfateb i ddull y Rhufeiniaid o ysgrifennu rhifau. Yn y dull hwnnw mae 99 yn cael ei gynrychioli gan IC, sef un yn llai na chant. Gwelwn hwn hefyd yn y dull o ddweud 99 yn Lladin: *undecentum*, sef, eto, un yn llai na chant.

Mae'r defnydd amrywiol a chyfoethog hwn o 'namyn' fel rhan o iaith draddodiadol y Gymraeg yn dangos cyflymder meddwl a dealltwriaeth o'r drefn rifo. Mae'n debyg iawn ar sawl golwg, er nad i'r un dyfnder, i'r ddealltwriaeth a ddangosodd y Gareth pum-mlwydd wrth gyfrifo miliwn namyn un.

Er cof am Gareth Wyn Williams – gweler tudalen ola'r gyfrol.

9

Un, dau, tri – Mam yn dal pry

Gwlad gymhleth yw India, yn gymysgfa o'r gwych a'r
gwachul, o gyfoeth a thlodi, o grefydd ac ofergoeledd,
o falchder a thaeogrwydd. Yn ninas ddi-drefn Chennai
(Madras, gynt) roeddwn yn aros mewn gwesty moethus.
O amgylch y gwesty roedd wal uchel a godwyd er
mwyn cadw'r cardotwyr allan. Yng ngerddi'r gwesty,
ond o fewn ffiniau'r wal, roedd llond llaw o siopau, gan
gynnwys siop lyfrau anghyffredin Mrs Patel, dynes
ganol oed ddiwylliedig. Roedd y siop un-ystafell hon
yn llawn i'r ymylon o lyfrau, cymaint felly fel nad oedd
modd mynd i mewn iddi. Y pafin y tu allan i'r siop oedd
y man lle gwneid busnes ac eisteddais yno ar stôl isel i
drafod llyfrau hen a newydd gyda Mrs Patel. Os oedd
angen cael hyd i lyfr penodol o grombil y siop, anfonai
Mrs Patel was bach – dyn oedrannus iawn yr olwg – i
gloddio i ganol y mynydd o lyfrau. Ailymddangosai
hwnnw ymhen hir a hwyr a gwên fawr ar ei wyneb gan
gydio'n fuddugoliaethus yn y gyfrol dan sylw.

Roedd Mrs Patel yn arbennig o awyddus i wybod

a oeddwn wedi darllen *The Indian Clerk* a beth oedd fy marn am y gyfrol. Nofel ydyw, yn seiliedig ar fywyd a gwaith y mathemategydd rhyfeddol Srinivasa Ramanujan (1887–1920). Mab i deulu tlawd yn nhalaith Tamil Nadu yn ne India oedd Ramanujan a dangosodd sgiliau arbennig mewn mathemateg yn hynod o ifanc, ond nid oedd ganddo'r modd i fynd ymlaen i brifysgol. Wrth ei gynnal ei hun fel clerc gyda chwmni yn Chennai treuliai ei amser hamdden yn gwneud ymchwil mewn mathemateg. Yn 1912 dechreuodd anfon ffrwyth ei waith at G. H. Hardy, mathemategydd pennaf Prydain, os nad y byd, yn ei gyfnod.

Roedd Hardy (fyddai neb yn ei alw wrth ei enw cyntaf) yn diwtor mathemateg yng Ngholeg y Drindod, Caer-grawnt – coleg enwog am ei fathemategwyr o ddyddiau Isaac Newton ymlaen. Roedd Hardy hefyd yn hoyw, rhywbeth nad oedd modd ei drafod yn agored y dyddiau hynny. Er mor annisgwyl oedd y llythyrau a dderbyniodd gan Ramanujan ac mor od o wahanol oedd y cynnwys, roedd Hardy'n ddigon craff i weld fod gan y clerc di-nod hwn dalent arbennig iawn. Trefnodd i Ramanujan deithio i Gaer-grawnt, gan adael ei wraig a'i fam yn Chennai. Dros gyfnod o saith mlynedd cynhyrchodd y ddau ymchwil blaengar na welwyd ei debyg. Penodwyd Ramanujan yn Gymrawd Coleg y Drindod a chafodd ei ethol yn Gymrawd o'r Gymdeithas

Frenhinol, anrhydedd arbennig iawn i ddyn ifanc gan y sefydliad gwyddonol byd-enwog hwnnw. Diwedd trist sydd i'r hanes. Ni lwyddodd Ramanujan i addasu ei arferion i fyw'n gyfforddus yn un o golegau Caergrawnt ac nid oedd bwyd y coleg at ei ddant: datblygodd heintiau, treuliodd gyfnod mewn clinig, dioddefodd o ddiffyg maeth, a'r diwedd fu iddo ddychwelyd at ei deulu yn Chennai lle y bu farw ac yntau'n ddim ond 32 oed.

Roedd yn amlwg fod Mrs Patel yn gwybod popeth am *The Indian Clerk* a bod Ramanujan yn arwr mawr iddi. Yn ystod fy arhosiad yn Chennai daeth yn glir fod enw

Murlun enfawr (tua 5 m x 8 m) yn dangos Einstein yn y gornel uchaf ar y chwith a Ramanujan ar y gwaelod, ar wal un o brif adeiladau Coleg Prifysgol Loyola yn Chennai.

Ramanujan yn gyfarwydd i drwch poblogaeth y ddinas. Ar furlun ar wal un o brifysgolion Chennai rhoddir sylw cyfartal i Einstein a Ramanujan fel ei gilydd. Serch hynny nid oedd gan Mrs Patel ddim byd da i'w ddweud am *The Indian Clerk*. Iddi hi roedd y llyfr yn parddu enw Ramanujan wrth gysylltu ei enw â rhywun hoyw. Yn sicr doedd dim copi o'r llyfr ar werth yn ei siop.

*   *   *

Rhan o ramant Ramanujan oedd ei allu unigryw i greu fformiwlâu o ddim byd, fel consuriwr yn tynnu cwningen allan o het. Mae traddodiad hir yn India o gredu bod gwirioneddau mathemategol yn cael eu datgelu mewn breuddwydion i unigolion arbennig wrth iddynt ymprydio a myfyrio. Yn ystod f'ymweliad ag India prynais lyfr mewn siop lyfrau fodern yn cynnwys peth o ffrwyth y myfyrio hwn. Rhestr o gyfarwyddiadau heb unrhyw eglurhad sydd yn y llyfr – enghraifft glasurol o *wybod sut* heb *ddeall pam*. Yn y traddodiad hwn roedd Ramanujan yn cael ei ddyrchafu yn un o'r 'uwch offeiriaid'. Her fawr i Ramanujan yn ystod ei gyfnod yng Nghaer-grawnt oedd dod i ddeall dulliau'r byd gorllewinol o wneud mathemateg a chysoni hynny â dulliau'r India. Erbyn hyn, mathemateg 'orllewinol' sy'n cael ei throsglwyddo i blant ysgol a myfyrwyr coleg yn India ond mae'r fathemateg draddodiadol yn parhau i fod â statws anffurfiol ochr yn ochr â hynny – un o'r paradocsau hynny sy'n rhoi blas arbennig i'r wlad.

Ond mae gan India le hefyd i hawlio mai hi yw crud mathemateg fodern ac mai hi, yn arbennig, yw crud ein dull modern o gyfrif. Yn India yn y bumed ganrif y defnyddiwyd y symbol '0' am y rhif 'dim' am y tro cyntaf erioed. Cyn hynny roedd y byd clasurol – y Groegiaid a'r Rhufeiniaid – wedi gwrthod y syniad y gallai 'dim' fod yn rhif o gwbl. Hawdd iawn yw cyfrif tri dyn, meddent, ond pa synnwyr sydd mewn dweud mai nifer y dynion mewn ystafell wag yw 'dim'? Bu llawer o ddadlau ymysg athronwyr gwlad Groeg ar y mater a'u casgliad oedd na ellid ystyried 'dim' yn rhif fel y rhifau eraill. O ganlyniad, aros yn ei hunfan wnaeth astudiaeth y Groegwyr o rifyddeg. Er i'r Rhufeiniaid ddefnyddio rhifyddeg i gynllunio ac adeiladu eu pontydd, eu ffyrdd a'u dinasoedd roeddynt ynghlwm wrth ddull trwsgl iawn o gofnodi rhifau nad oedd yn cynnwys y rhif 'dim'. Rydym yn gyfarwydd â rhifau Rhufeinig fel XVI (am 16) ond nid oes unrhyw rif Rhufeinig yn cynnwys symbol am y rhif 'dim'.

Pos y rhifau Rhufeinig

Pa rif yw'r rhif Rhufeinig MDCLXI?

A beth am y rhif MCDXLI?

Roedd cydnabod 'dim' fel rhif gan fathemategwyr India yn gam enfawr ymlaen. Ystyr 306, er enghraifft, yw tri chant, dim degau a chwe uned: mae bodolaeth y symbol '0' yn hanfodol wrth greu'r symbol cyfansawdd 306. Rydym yn cymryd hyn i gyd yn ganiataol erbyn hyn ac yn rhoi label ar y peth trwy sôn am gyfrif yn y dull degol (*decimal*), ond roedd y camau cyntaf hynny yn y bumed ganrif gan fathemategwyr India yn chwyldroadol.

Nid dros nos y daeth y chwyldro hwn i Ewrop, fodd bynnag. Lledodd y syniadau o India yn raddol gyda masnachwyr wrth iddynt deithio i'r gorllewin tua'r Aifft a chael eu mabwysiadu gan y byd Arabaidd. Parhaodd y daith ar draws gogledd Affrica a throsodd gyda'r Arabiaid i Sbaen ac oddi yno i'r Eidal a gweddill Ewrop. Taith o chwe mil o filltiroedd dros gyfnod o 750 o flynyddoedd – wyth milltir y flwyddyn ar gyfartaledd! Oherwydd tarddiad y rhifau hyn yn India ac iddynt gael eu trosglwyddo i Ewrop trwy'r Aifft, defnyddir y label 'rhifau Hindŵ-Arabaidd' i'w disgrifio, a'r drefn hon a ddefnyddir ar draws y byd erbyn heddiw i ysgrifennu rhifau – gallwn weld rhifau fel 275 ar ganol brawddeg Gymraeg, Rwseg neu Tsieinëeg: rhifau Hindŵ-Arabaidd yw *lingua franca* y byd mathemategol.

Rhaid diolch i Leonardo Fibonacci (*c.*1170–*c.*1250), Eidalwr peniog, am dynnu sylw ysgolheigion yn y gorllewin at y drefn rifo newydd yn ei lyfr *Liber abaci* a gyhoeddwyd yn 1202. Hyd yn oed wedyn roedd y drefn Rufeinig o nodi rhifau'n parhau mewn grym ac araf iawn fu'r broses o'i disodli. Mae'n debyg i'r rhifau Hindŵ-Arabaidd gyrraedd ynysoedd Prydain tua diwedd y bedwaredd ganrif ar ddeg. Un o'r dogfennau Cymraeg cynharaf i gynnwys y rhifau yw llawysgrif gan y bardd a'r ysgolhaig Gutun Owain, neu Gruffydd ap Huw ab Owain (tua 1460–1500). Lluniwyd y llawysgrif rhwng 1488 a 1489 ac ynddi mae'r awdur yn trafod pynciau'n ymwneud ag astroleg a meddygaeth yn bennaf. Wrth restru dyddiau gŵyl fel rhan o galendr, mae Gutun Owain yn defnyddio rhifau Hindŵ-Arabaidd.

Wrth lunio'i lyfr ar rifyddeg yn 1543, tua thri chan mlynedd ar ôl cyfnod Fibonacci, roedd Robert Recorde (gweler pennod 5) yn ofalus i ddechrau drwy gyflwyno'r rhifau Hindŵ-Arabaidd 'modern' gan eu cysylltu â'r drefn Rufeinig fwy cyfarwydd. Gwelwn olion y drefn Rufeinig hyd yn oed heddiw: fe'i defnyddir yn aml ar wyneb clociau (am ei bod yn fwy deniadol, efallai?) ac wrth nodi blwyddyn hawlfraint ar ffilm neu raglen deledu.

Plannwyd yr hadau ar gyfer datblygu rhifau Hindŵ-Arabaidd yn India yn y bumed ganrif; daeth y rhifau i Ewrop saith can mlynedd yn ddiweddarach, tua 1200; mae'r dystiolaeth gyntaf iddynt gael eu defnyddio yng

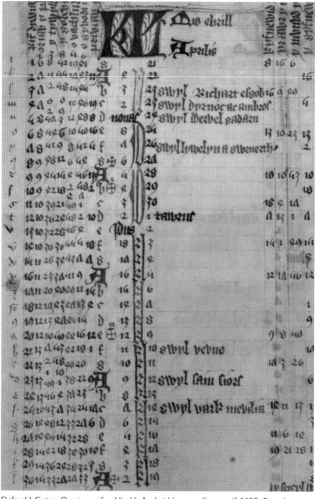

Defnydd Gutun Owain o rifau Hindŵ-Arabaidd mewn llawysgrif 1488–9 wrth restru dyddiau gŵyl mis Ebrill.

Trwy ganiatâd Llyfrgell Genedlaethol Cymru.

Nghymru dri chan mlynedd wedyn, tua 1500; ac mae olion yr hen drefn yn parhau gyda ni heddiw, bum can mlynedd wedi hynny. Peth felly yw cynnydd!

Nage, nid rhodd gan y duwiau yw'n dull ni o gyfrif: pobl sydd wedi creu'r symbolau, a phobl sydd wedi rhoi'r symbolau hyn at ei gilydd er mwyn creu'r rhifau sydd mor gyfarwydd i ni heddiw. Mater arall yw'r iaith lafar a ddefnyddiwn i ddisgrifio'r rhifau hyn yn Gymraeg – testun y ddwy bennod nesaf!

10

Ym myd y Maiaid

Os yw datblygiad y drefn ddegol o rifo yn weddol glir, nid felly ein gwybodaeth am yr iaith a ddefnyddiwn – y geiriau unigol a'r ymadroddion – i fynegi'r rhifau hynny yn Gymraeg (gweler yr Atodiad). Mae'r termau 'modern' yn ddigon amlwg – 'dau ddeg tri' am 23, ac yn y blaen – ond beth yw tarddiad yr eirfa fwy traddodiadol sy'n parhau i gael ei defnyddio yn ein hiaith bob dydd – geiriau fel pymtheg, deunaw, ugain, deugain a thrigain? Mae'r drefn hon yn gymhleth ar y naw – ac o ble y daeth y 'naw' hwnnw tybed?

Ddiwedd y 1980au cefais gais gan Annie MacDonald ar ran ysgolion Ynysoedd Gorllewin yr Alban am gyngor ynghylch y drefn rifo yn iaith Gaeleg yr Alban. Roedd ysgolion Gaeleg eu cyfrwng yn gymharol newydd bryd hynny ac wedi datblygu'n hwyrach na'r ysgolion cyfrwng Cymraeg yng Nghymru. Pryder Annie MacDonald oedd sut i ddysgu rhifau i blant bach oherwydd dim ond y drefn draddodiadol o rifo oedd yn bodoli mewn Gaeleg; nid oedd yr Aeleg wedi datblygu trefn ddegol o gyfrif. Bryd hynny y sylweddolais yn iawn nad oedd y drefn draddodiadol o gyfrif mewn ugeiniau yn unigryw i'r Gymraeg ond ei bod yn gyffredin hefyd i'r ieithoedd Celtaidd eraill: Gaeleg yr Alban, Manaweg (sef Gaeleg Ynys Manaw), Gwyddeleg, Cernyweg a Llydaweg. Mae'r tebygrwydd hwn ar draws yr ieithoedd Celtaidd yn cael ei gyfoethogi gan ambell wahaniaeth hefyd; er enghraifft, deunaw (2×9) yw'r gair Cymraeg traddodiadol am y rhif 18, ond y gair Llydaweg am y rhif hwn yw *triwec'h* (3×6).

Ac, wrth gwrs, hyd yn oed y tu allan i'r cylch Celtaidd mae dylanwad yr ugain i'w weld mewn ieithoedd Ewropeaidd eraill, gan gynnwys Ffrangeg â'i *quatre vingts*, sef pedwar ugain, am 80, ac yn yr ymadrodd Saesneg o Feibl safonol y Brenin Iago, '*the days of our years are threescore years and ten*', sef 3×20 + 10, neu 70. Y tu hwnt i Ewrop, gan y Maiaid y mae un o'r enghreifftiau mwyaf trawiadol o'r defnydd o ugain. Roedd y Maiaid yn byw yng Nghanolbarth America rhwng tua OC 600 ac OC 1200, dros ardal sy'n cyfateb yn fras heddiw i dde Mecsico, Guatemala, Belize a rhannau o El Salvador a Honduras.

Roedd trefn y Maiaid yn seiliedig ar dri pheth. Yn gyntaf dyfeisiwyd symbol ganddynt ar gyfer dim neu sero, yn union fel a ddigwyddodd yn India – cam sylweddol iawn, yn arbennig mewn gwlad a oedd wedi'i hynysu rhag dylanwadau allanol. Roedd y Maiaid yn defnyddio cragen i gynrychioli sero, a llun cragen oedd eu symbol am sero:

Yn ail, defnyddiodd y Maiaid drefn yn seiliedig ar gyfri fesul pump. Yn y drefn hon roedd carreg fach yn cynrychioli'r rhif 1 a brigyn yn cynrychioli'r rhif 5. Mae'r patrwm isod, sy'n cynnwys carreg a thri brigyn, yn cynrychioli'r rhif 16, ac yn rhyfeddol o debyg i 'un ar bymtheg' yn Gymraeg:

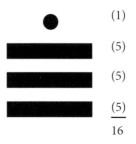

Yn drydydd, penderfynodd y Maiaid gyfrif mewn ugeiniau yn hytrach nag mewn degau, a gwneud hynny'n drwyadl. Er mwyn dangos y rhif 36, er enghraifft, roeddynt yn ei gyfrif fel '20 + 16' ac yn ei ddangos fel hyn:

 un garreg yn cynrychioli un ugain, sef 20

 un a thri phump, sef 16

Cyfanswm: 20 + 16 = 36

Mae yna debygrwydd hefyd rhwng hwn ac 'un ar bymtheg ar hugain' yn Gymraeg.

Gan ddilyn yr un patrwm, dyma ffordd y Maiaid o ddangos y rhif 80, sy'n cynnwys symbol y gragen am sero:

 pedair carreg yn cynrychioli pedwar ugain, sef 80

cragen yn dangos dim unedau, sef 0

Cyfanswm: 80 + 0 = 80

Eto, mor agos yw'r dull hwn i ddull y Gymraeg o ddweud 'pedwar ugain'.

Gyda dim ond ychydig o gregyn, cerrig a brigau roedd y Maiaid yn gallu gwneud symiau cymhleth yn gyflym ac yn gywir. Roedd eu dulliau yn rhai soffistigedig ac ymhell ar y blaen i'r dulliau a ddefnyddid yng ngwledydd Ewrop yn ystod yr un cyfnod. Defnyddiodd y Maiaid y drefn hon fel sail i greu calendr. Yn y calendr hwnnw mae amser yn cael ei rannu'n oesoedd. Wrth ymestyn y calendr i'n cyfnod ni mae diwedd un o oesoedd y Maiaid yn disgyn ar 21 Rhagfyr 2012. Yn ôl rhai, cred y Maiaid oedd y byddai'r byd yn dod i ben ar y diwrnod hwnnw ac yn cael ei eni o'r newydd y diwrnod wedyn. Nonsens, medd eraill! Os ydych yn darllen y llyfr hwn ar ôl y dyddiad tyngedfennol, mae hynny'n brawf na ddigwyddodd y gyflafan!

Pleser pur i mi pan oeddwn yn ymweld â Dinas Mecsico yn 2004 oedd sylwi ar ddyfeisgarwch y Mecsicanwyr modern wrth iddynt werthu hanes eu rhifau i dwristiaid. A do, bu'n rhaid i'r twrist hwn fanteisio ar y cyfle i brynu un o ddyddiadau calendr y Maiaid. Mae'r llun gyferbyn yn dangos dyddiad geni ein mab Huw, sef 18 Mai 1976, sydd ychydig yn fwy lliwgar na thystysgrif geni yn y wlad hon!

Does dim tystiolaeth fod trefn ugeiniol y Maiaid wedi dylanwadu o gwbl ar ddatblygiad trefn ugeiniol yr ieithoedd Celtaidd draw dros yr Iwerydd na bod y Celtiaid wedi dylanwadu ar y Maiaid. Haws credu fod dylanwadau naturiol wedi cael effaith gyffredin ar y ddau gyfandir. Mae arbenigwr ar ddiwylliant y Maiaid wedi awgrymu y gallai fod yn naturiol mewn gwlad

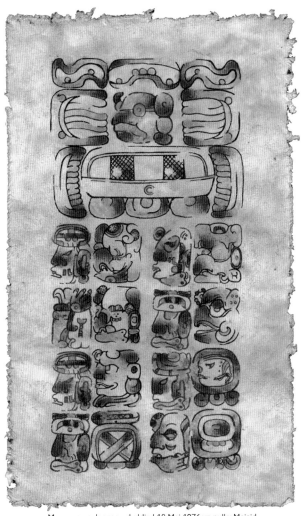

Memrwn yn dangos y dyddiad 18 Mai 1976 yn null y Maiaid.

boeth a'i thrigolion yn droednoeth iddynt ddefnyddio'u holl fysedd, dwylo a thraed, at bwrpas cyfrif, ac y gallai hynny fod wedi dylanwadu ar eu dewis o gyfrif mewn ugeiniau. Tybed a fyddai'r un ddadl yn dal dŵr mewn perthynas â gwledydd Ewrop yr Oesoedd Canol?

Nid peth od ac annaturiol, felly, yw'n trefn ugeiniol o gyfrif yn Gymraeg. Mae iddi gysylltiadau agos â threfn ein cefndryd Celtaidd ac roedd yn ganolog, mewn ffurf lawn, yn nhraddodiad y Maiaid. Nid oes unrhyw dystiolaeth i'r Gymraeg ddefnyddio'r drefn ugeiniol yn llawn. Fodd bynnag, yn ychwanegol at y ffurfiau cyfarwydd deugain (40), trigain (60) a phedwar ugain (80), ceir enghreifftiau ysgrifenedig o ffurfiau fel pum ugain (100), chweugain (120: gair a ddefnyddid am bapur deg swllt yng nghyfnod yr 'hen arian' cyn 1971, gan fod 120 ceiniog mewn deg swllt), ac, yn brinnach, saith ugain (140) ac ymlaen. Ceir tystiolaeth hefyd o ffurfiau llafar yn cael eu defnyddio hyd at ugain ugain (400) mewn rhai rhannau o Gymru gan mlynedd a mwy yn ôl. Enghreifftiau diddorol, ond prin, yw'r rhain. Oes, mae gan y Gymraeg drefn ugeiniol dwt o gyfrif ond nid yw'n agos at fod yn drefn lawn o'i chymharu â threfn y Maiaid.

Byddai'n anodd dadlau fod trefn ugeiniol draddodiadol y Gymraeg yn ateb gofynion yr oes ddigidol bresennol, ond, fel y gwelwn yn y bennod nesaf,

nid ar chwarae bach y cafodd y drefn ei moderneiddio
yn y Gymru hon.

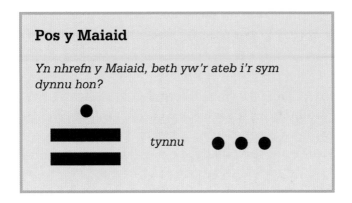

11

Trafferth mewn tafarn

Roedd y noson hon yn 1820 yn un anarferol, hyd yn oed i selogion y Llew Coch a oedd wedi gweld sawl gornest frwd yno dros y blynyddoedd. Ond heno roedd dau o'r pentrefwyr, Hwfa a Guto, yn mynd benben â'i gilydd.

Roedd Hwfa'n geidwadol wrth reddf ac yn barod i amddiffyn y drefn draddodiadol ym mhob dim, gan gynnwys yr hen ffordd o rifo. Roedd Guto'n 'foderneiddiwr': wfft i arferion ei gyndadau, roedd yn hen bryd i'r Cymry ddefnyddio dull haws o rifo. Roedd wedi'i galonogi gan lythyrau yn y wasg yn cefnogi'r drefn newydd ac wedi dotio ar frawddeg 'Llewelyn o Abertawe' a oedd yn taro'r hoelen ar ei phen: 'Dichon y Sais rifo mil yn araf deg cyn y gallai y Cymro, er poethi ei geg gan frys, rifo pedwar cant.'

Gyda chefnogaeth gyhoeddus o'r fath roedd Guto'n barod i herio agweddau ceidwadol Hwfa. Tociwyd rhyw fymryn ar hyder Guto pan ddaeth y noson fawr wrth iddo synhwyro nad oedd selogion y dafarn i gyd o'i blaid. Dim ond eu hanner, os hynny, oedd yn ochri gyda'i ddadl chwyldroadol ef, a'r hanner arall – deinosoriaid yr oes, yn ei dyb ef – yn awchu am weld y llanc haerllug hwn yn cael cweir.

Cytunwyd ar reolau'r ornest. Mae'r ddau'n sefyll yn wynebu'i gilydd ac, yn dilyn arwydd gan y dyfarnwr, yn dechrau cyfrif *un, dau, tri* … Ar ôl cyrraedd *deg* gyda'i gilydd, mae Hwfa'n parhau yn y dull traddodiadol: *un ar ddeg, deuddeg, tri ar ddeg, pedwar ar ddeg, pymtheg … ugain, un ar hugain* … Mae Guto'n dilyn y drefn newydd: *un deg un, un deg dau, un deg tri, un deg pedwar, un deg pump … dau ddeg, dau ddeg un* … Mae'r dorf yn gweiddi ei chymeradwyaeth i sŵn y cyfrif rhythmig – yn arbennig y rhai sydd wedi mentro arian ar y canlyniad.

Erbyn cyrraedd 100, does fawr ddim ynddi. Mae'r chwys yn codi ar dalcennau'r ddau a Guto'n synnu mor sicr yw gafael Hwfa ar rifau fel *pedwar ar bymtheg a thrigain* (79) ac ar ambell dro annisgwyl, fel ei *cant namyn un* yn hytrach na *pedwar ar bymtheg a phedwar ugain* (99). Ond mae'r straen yn dechrau effeithio ar Hwfa ac, er gwaethaf cymeradwyaeth ei gefnogwyr, mae'r ymdrech i ganolbwyntio ar bob rhif yn ei flino – efallai nad oedd yr ail beint hwnnw wedi bod yn syniad mor dda wedi'r cwbl! Wrth basio 150 a charlamu am 200 mae rhythmau cyson Guto'n dechrau cael y blaen ar Hwfa. Erbyn cyrraedd 200 mae Guto'n glir ar y blaen a Hwfa'n parhau yng nghhors y 170au. Daw bloedd o gymeradwyaeth gan gefnogwyr Guto, a'r floedd honno'n atseinio ar hyd y strydoedd, gyda hyd yn oed yr ychydig Saeson sydd yn y dafarn yn rhyfeddu at frwdfrydedd yr ornest.

*   *   *

Rhywbeth fel hyn oedd yr ymdrechion cyntaf i dynnu rhifau'r Cymry i oes newydd, ddiwydiannol y bedwaredd ganrif ar bymtheg. Serch hynny, nid anghenion bywyd a gwaith bob dydd oedd y prif sbardun ond anghenion capel ac eglwys ar y Sul. Roedd canu cynulleidfaol yn dod i fri a'r angen yn codi i gyhoeddi llyfrau emynau. Un o'r cyhoeddwyr cynnar hyn oedd y Parchedig David Jones, gweinidog gyda'r Annibynwyr yn Nhreffynnon, sir y Fflint. Mae ei lyfr emynau cyntaf, a gyhoeddwyd yn 1810, yn cynnwys 500 o emynau a rhaid oedd eu rhifo'n drefnus. Ond roedd rhoi rhif yn y ffurf 492 uwchben emyn yn gam rhy chwyldroadol i David Jones, a'r hyn a welwn yw CCCCXCII – rhif Rhufeinig yn ei holl ogoniant!

Dychmygwch benbleth y gynulleidfa: y llyfr emynau yn dangos y rhif Rhufeinig CCCCXCII a'r gweinidog yn cyhoeddi'r emyn 'pedwar cant deuddeg a phedwar ugain'. Doedd dim amdani ond pwyso am newid yn y drefn er mwyn i'r gweinidog druan gael cyhoeddi 'rhif yr emyn pedwar cant naw deg a dau' ac i'r gynulleidfa ddeall mai 492 oedd hwnnw. Rhoddwyd pwysau ar weinidogion i fabwysiadu'r drefn newydd ac i ddylanwadu ar aelodau eu heglwysi i ddefnyddio'r drefn yn eang yn eu bywydau bob dydd yn ogystal ag mewn oedfa. Chafwyd fawr o lwyddiant o ran cyrraedd yr amcan eang hwnnw, ond bu newid amlwg yn y dull a ddefnyddid i ddarllen rhifau emynau.

Mae'r patrwm a fabwysiadwyd yn aros hyd heddiw: mewn capel ac eglwys byddwn yn aml yn clywed y dull degol yn cael ei ddefnyddio i gyhoeddi emyn ond y drefn draddodiadol i gyhoeddi darlleniad o'r ysgrythur: 'Darllenir o'r ddeunawfed bennod ar hugain o Lyfr Jeremeia ac yna fe ganwn rif yr emyn tri deg ac wyth.'

A dyna ni'r rhif 38 yn cael ei adrodd mewn dwy ffordd wahanol o fewn yr un frawddeg! Y duedd yw cyfeirio at benodau gan ddefnyddio geiriau sy'n rhoi rhifau yn eu trefn – cyntaf, ail, trydydd ac yn y blaen – a chyfeirio at emynau gan ddefnyddio'r rhifau cyfrif arferol – un, dau, tri ac yn y blaen. Yr eithriad yw Llyfr y Salmau: salm tri deg ac wyth a glywir amlaf. Ond emynau i'w canu yw'r salmau, wedi'r cyfan!

Mae'r penodau mewn llyfr yn adrodd stori ac iddi drefn glir, a'r naill beth yn digwydd ar ôl y llall. Mewn llyfr emynau, ar y llaw arall, nid oes fawr o gysylltiad rhwng emyn 36 a 37, dyweder – nid yw'r naill yn dilyn y llall o ran datblygiad thema. Felly, rhif sy'n nodi trefn i'r cyntaf, rhif cyfrif i'r ail. Sylwch hefyd fod y dull o gyhoeddi emyn yn aml yn cynnwys elfen fach nad yw'n rhan o'n hiaith bob dydd arferol. Nifer y dyddiau mewn blwyddyn (365) yw 'tri chant chwe deg pump' ond, wrth gyhoeddi'r emyn 365, tueddir i glywed 'tri chant chwe deg *a* phump'. Mae'r 'a' fach ychwanegol yn rhoi cyfle i'r sawl sy'n cyhoeddi'r emyn i oedi'n barchus a rhoi mwy o urddas i'r dweud. Gwrandewch amdani!

Y tu allan i gyhoeddi emynau mewn capel ac eglwys, ni welwyd fawr o newid ar y dull arferol o ddweud rhifau. Do, cafwyd trafodaeth fywiog yn y wasg ond nid oedd unrhyw gyfundrefn yng Nghymru yn barod i hyrwyddo'r newid. Erbyn i'r drefn addysg ddatblygu yn ddiweddarach yn y ganrif, roedd dylanwad negyddol adroddiad y llywodraeth ar gyflwr addysg yng Nghymru – adroddiad a gyhoeddwyd yn 1847 ac a gafodd ei labelu fel *Brad y Llyfrau Gleision* – wedi newid ysbryd yr oes. Rhaid oedd anwybyddu'r Gymraeg o blaid y Saesneg os oedd plant am 'ddod ymlaen yn y byd'. Bellach Saesneg oedd unig iaith rhif mewn masnach a diwydiant, mewn ysgol a choleg, a Saesneg oedd prif iaith rhif ar y stryd, mewn siop ac yn y cartref – ffordd o feddwl a barhaodd bron yn ddigwestiwn tan ddiwedd yr Ail Ryfel Byd.

*   *   *

Darllenwch y brawddegau isod gan symud yn sydyn o'r naill i'r llall. Os yw'r cyfle'n codi, darllenwch y brawddegau'n uchel! Yn bennaf oll, darllenwch nhw'n naturiol heb feddwl pa un yw'r ffordd 'gywir':

Yfory bydd Elen yn cael ei phen-blwydd yn 18 oed.
Mae hi'n 20 munud wedi deg o'r gloch.
Brysiwch, rhaid i ni gyfarfod Nain am 11 o'r gloch.
Mae Dafydd yn pwyso 12 stôn.
Rwyf yn byw yn rhif 20 Stryd Bangor.
Y rhif sydd un yn fwy na 17 yw 18.
Mae 15 chwaraewr mewn tîm rygbi.
20 o blant sydd yn y dosbarth.
Y sgôr ar ddiwedd y gêm oedd y Gleision 25, y Gweilch 30.
Mae'r stori'n dechrau ar dudalen 18.
Canwn yr emyn rhif 25.

Cynigiais y dasg hon i nifer o drigolion gogledd-orllewin Cymru, yn bobl a phlant ysgol o bob oed a chefndir. Roedd y canlyniadau'n dangos patrymau clir, gan gynnwys:

> Roedd tuedd i'r to hŷn ddefnyddio geiriau Saesneg am y rhifau mwy 'cymhleth', fel 17 a 25. Ond ymysg y to hwn hefyd y gwelwyd y defnydd o'r geiriau Cymraeg traddodiadol ar ei gryfaf. (Yn Saesneg y cafodd yr unigolion hyn eu haddysg, a Saesneg oedd iaith eu

gwersi syms. Cymraeg oedd eu hiaith bob dydd a'r iaith honno'n cynnwys y geiriau Cymraeg traddodiadol am y rhifau symlaf. Roeddynt yn troi'n naturiol at y Saesneg i ddweud y rhifau mwy cymhleth.)

> Tuedd y to ifanc oedd defnyddio geiriau Cymraeg degol (un deg saith, un deg wyth ac yn y blaen) yn hytrach na rhai traddodiadol ac osgoi geiriau Saesneg. (Yn Gymraeg y cafodd yr unigolion hyn eu haddysg, a Chymraeg oedd iaith eu gwersi symiau. Roeddynt yn fwy cyfforddus, felly, yn defnyddio'r dull degol.)

> Roedd rhai geiriau Cymraeg traddodiadol yn parhau ar lafar ar draws y cenedlaethau, yn arbennig 'un ar ddeg', 'deuddeg', 'pymtheg' a 'deunaw'. (Mae'r geiriau hyn i'w clywed yn ddyddiol ar y cyfryngau, mewn sgwrs ac yn yr ysgol. Cânt eu derbyn a'u defnyddio'n gwbl naturiol.)

A oedd eich atebion yn dangos yr un patrymau?

Ers yr Ail Ryfel Byd, addysg a'r cyfryngau fu'r dylanwadau mwyaf ar ein ffordd o ddweud ein rhifau. Gyda thwf addysg Gymraeg mae bellach yn brofiad cyffredin i blant ddysgu mathemateg yn Gymraeg, a phenderfynwyd defnyddio'r dull degol i ddweud rhifau gan mai'r dull hwnnw yw'r hawsaf o bell ffordd o ran datblygu dealltwriaeth plant o rif. Mae'r cyfryngau torfol, yn arbennig radio a theledu, hefyd wedi datblygu dulliau o ddweud rhifau gan fabwysiadu cymysgedd o'r dull degol a'r dull traddodiadol.

Mae ymchwil diweddar yn dangos bod plant yng Nghymru yn dysgu rhifo yn haws o lawer wrth ddefnyddio'r dull degol o gyfrif yn Gymraeg ac yn dysgu rhifo yn well na phlant sy'n cael eu gwersi mathemateg yn Saesneg. Mae trefn syml y dull degol o gyfrif yn Gymraeg yn fantais glir – yn union fel y mae yn nifer o wledydd y Dwyrain Pell fel Tsieina, Siapan a Corea. Ond mae'r arfer o ddefnyddio'r dull degol mewn ysgolion wedi bod yn destun llawer o feirniadaeth hefyd. Un o'r beirniaid hynny oedd Iorwerth Peate (1901–82): bardd, ysgolhaig a chyfarwyddwr cyntaf Amgueddfa Werin Cymru yn Sain Ffagan. I Iorwerth Peate ac eraill roedd dweud *tri deg saith* yn lle *dau ar bymtheg ar hugain* am y rhif 37 yn gwbl annerbyniol ac yn enghraifft o 'siarad Saesneg yn y Gymraeg'. Rhoddodd Iorwerth Peate y bai yn blwmp ac yn blaen ar ysgolion fel y 'prif bechaduriaid yn y broses o ddileu'r dull traddodiadol Cymraeg o gyfrif mewn ugeiniau'. Datblygodd y ffrae yn un gyhoeddus yn ystod y 1970au. Mewn llythyr yn y wasg, gofynnwyd i Iorwerth Peate beth oedd *forty-eight thousand* (48,000) yn Gymraeg. Daeth yr ateb *wyth mil a deugain* yn syth ganddo. Os felly, mentrodd yr amheuwr, beth yw *eight thousand and forty* (8040)? Ni chafwyd ymateb a bu taw ar y ddadl. Serch hynny, glynodd rhai arbenigwyr iaith at yr honiad bod y geiriau degol newydd yn 'ddieithr i'r Gymraeg'.

Er bod y dull degol wedi ennill ei blwyf erbyn hyn, rydym yn parhau i ddefnyddio'r ddwy ffordd o ddweud rhifau. Wrth i mi sefyll ar blatfform stesion Caerdydd yn disgwyl trên Bangor, clywais y cyhoeddiad Cymraeg: 'Y trên nesaf i adael platfform tri fydd y dau ddeg un munud wedi un ar ddeg o'r gloch i Gaergybi.' Yn y cyhoeddiad hwn mae 'dau ddeg un' yn dilyn y dull degol ac 'un ar ddeg' y dull traddodiadol – cymysgu dau ddull o fewn yr un frawddeg! Ydy'r cyfaddawd yn dderbyniol?

Wrth ddisgrifio bywyd y pêl-droediwr John Charles, ysgrifenna Mererid Hopwood: 'Enillodd John Charles ei gap cyntaf yn ddeunaw oed. Aeth ymlaen i gipio tri deg saith arall.' Dyma ddangos y defnydd o'r dull degol ar gyfer cyfrif y nifer o bethau (tri deg saith cap) a'r dull traddodiadol ar gyfer cyfrif amser (deunaw oed). Wrth gyfrif amser – nodi oed, darllen cloc – mae yna elfen gref o roi pethau mewn trefn ('yn ôl trefn amser', 'popeth yn ei drefn') a thuedd y Gymraeg, fel yn achos cyfeirio at benodau o'r Beibl, yw defnyddio'r dull traddodiadol wrth gyfeirio at gyfrif trefn pethau. Rydym yn tueddu i ddweud 'ugain munud wedi un ar ddeg' wrth edrych ar gloc, a gofyn, 'Pryd wyt ti'n cael dy barti pen-blwydd yn ddeunaw?' Ond mae technoleg yn cael effaith hefyd ac os yw cloc digidol yn dangos yr amser '11:19' gellir clywed 'mae hi'n un deg un, un deg naw' er y byddai rhai pobl yn fwy cyfforddus gyda 'mae hi bron yn

114

ugain munud wedi un ar ddeg' ac eraill, nad ydynt yn gyfforddus o gwbl yn defnyddio'r Gymraeg wrth drin rhifau, yn dweud 'mae'n *eleven nineteen*' neu 'mae hi bron yn *twenty past eleven*'. Rydym yn gymysg oll i gyd, fel yn enghraifft yr amseroedd trenau, ond yr egwyddor sy'n dylanwadu fwyaf ar ein dewis o eiriau Cymraeg yw defnyddio'r dull degol ar gyfer cyfrif y nifer o bethau a'r dull traddodiadol ar gyfer cyfrif trefn pethau.

Mae dulliau'r cyfryngau'n dangos amrywiaethau pellach. Dan arweiniad cadarn Thomas Davies ddechrau'r 1960au, sefydlodd Adran Chwaraeon y BBC bolisi y byddai darlledwyr, wrth ddarllen sgôr mewn gêm rygbi neu griced, dyweder, yn defnyddio'r dull traddodiadol ar gyfer rhifau hyd at 30 ac yn newid i'r dull degol am rifau uwch. Ar brynhawniau Sadwrn clywid sgoriau fel 'Caerdydd wyth ar hugain, Pontypridd tri deg chwech' – y ddau ddull yn yr un frawddeg. Nid yw'r arfer hwnnw yn parhau erbyn hyn ac mae canllawiau diweddarach BBC Cymru ar draws yr holl raglenni, nid y rhaglenni chwaraeon yn unig, yn annog darlledwyr i wneud defnydd 'synhwyrol' o'r ddau ddull.

Mae'r ffin rhwng y dull degol a'r dull traddodiadol yn parhau i symud a gall y cyd-destun cymdeithasol ddylanwadu ar ein dewis. Pan oedd Huw, y mab, yn ei arddegau cynnar roedd ar y ffôn gyda chyfaill ysgol ryw fore Sadwrn a'r ddau wrthi'n trefnu cyfarfod ei gilydd.

Ar ganol y sgwrs, trodd Huw ataf a gofyn, 'Dad, fedri di fynd â mi i Fethesda erbyn hanner awr wedi un ar ddeg?' 'Iawn,' atebais, 'os wnei di frysio.' Cadarnhaodd Huw y trefniant gyda'i gyfaill gan ddweud, 'Ia, grêt! Wela i di ar y sgwâr am *half 'leven.*' Peth cymhleth – a diddorol – yw'n dewis o iaith rhif!

Ar faes Eisteddfod Genedlaethol Meirion a'r Cyffiniau yn 2009 cefais sgwrs anffurfiol gydag Elfyn Pritchard, Cadeirydd Pwyllgor Llên yr Eisteddfod y flwyddyn honno. Roedd Elfyn yn canmol y ffaith fod 'cymaint â deugain a phedair o bryddestau wedi cyrraedd' gan nodi ei bod yn 'anarferol cael mwy na thri deg'. A dyna ni, y ddau ddull yn yr un frawddeg eto, ond y tro hwn yn cyfeirio at yr un peth, sef nifer y pryddestau. Beth, tybed, oedd yn dylanwadu ar ddewis Elfyn? 'Wel,' meddai, yn syml, 'mae'n dibynnu sut dwi'n teimlo.' Erbyn hyn, mae'r rheolau wedi llacio a rhydd i bawb ei ddewis.

*   *   *

Wel, ddim yn hollol! Mae'r geiriau sy'n nodi trefn rhifau – cyntaf, ail, trydydd ac yn y blaen – yn parhau i achosi penbleth. Yn gynharach yn y bennod hon cyfeiriais at 'y bedwaredd ganrif ar bymtheg' gan mai dyna'r ffurf lenyddol safonol a byddai rhai darllenwyr wedi gwgu ar y ffurf 'yr un deg nawfed ganrif', er nad oes dim o'i le ar y ffurf honno, ond, rywsut, mae'n swnio'n chwithig i'r mwyaf sensitif ohonom. Er mwyn osgoi'r broblem mae rhai cyhoeddiadau'n cyfeirio at 'y 19g.' gan ddisgwyl i'r darllenydd ddewis sut i ddweud y rhif yn ei ben wrth ei ddarllen. Sut fyddech chi'n ei ddarllen? Mae ansicrwydd ynghylch sut i ddweud rhif yn aml yn arwain at ddweud y rhif yn Saesneg, yn arbennig os Saesneg oedd iaith eich gwersi mathemateg yn yr ysgol. Beth sy'n dod yn fwyaf naturiol i chi wrth weld y flwyddyn 1986, '*nineteen eighty-six*' neu 'mil naw wyth chwech'? Ydy cyd-destun y rhif yn gallu dylanwadu ar eich dewis o iaith?

Mae J. Elwyn Hughes, awdur *Canllawiau Ysgrifennu Cymraeg*, wedi mentro cynhyrfu'r dyfroedd. Nid yw'r dulliau presennol o ddweud geiriau sy'n nodi trefn rhifau yn foddhaol, meddai, a gallant arwain at gymysgwch llwyr. Ar un llaw, mae'r drefn draddodiadol yn rhy gymhleth, yn arbennig ar gyfer rhifau mawr. Er enghraifft, mewn ymgais i fod yn ieithyddol gywir mewn cyfweliad ar Radio Cymru, gofynnodd y darlledwr i un o redwyr Ras yr Wyddfa ai'r ras honno oedd ei 'unfed ar ddeg ras ar hugain', gan adael y gwrandawyr i geisio dehongli'r rhif. A fyddai wedi bod yn dderbyniol yn yr oes sydd ohoni i'r darlledwr ddweud 'y tri deg unfed ras'? Ar y llaw arall, meddai Elwyn Hughes, nid yw'r dull degol heb ei wendidau ac mae'n cynnig awgrymiadau gyda'r bwriad o osgoi'r anawsterau. Mae'r awgrymiadau hyn yn cynnwys pethau fel 'un deg unfed' ac 'un deg eilfed'. Och a gwae, meddai aelodau'r 'heddlu iaith', nid Cymraeg yw hynny! Nid oes dim amdani, felly, ond ailgynnal y gystadleuaeth cyfrif a gynhaliwyd gyntaf yn 1820, bron i ddau gan mlynedd yn ôl.

Gallwn ddychmygu'r ddau gystadleuydd ar lwyfan y Babell Lên: Mod ar y chwith yn chwifio baner y dull degol a Trad ar y dde yn pledio achos y dull traddodiadol. Ond y tro hwn, adrodd y rhifau sy'n rhoi geiriau mewn trefn yw'r dasg, nid y rhifau cyfrif arferol.

Gallwn deimlo'r tensiwn. Dacw'r ddau yn sefyll i wynebu'i gilydd, ac, yn dilyn arwydd gan yr Archdderwydd, yn dechrau cyfrif *cyntaf, ail, trydydd …* Ar ôl cyrraedd *degfed* gyda'i gilydd, mae Trad yn parhau yn y dull traddodiadol: *unfed ar ddeg, deuddegfed, trydydd ar ddeg, pedwerydd ar ddeg, pymthegfed … ugeinfed, unfed ar hugain …* Mae Mod yn dilyn y drefn newydd: *un deg unfed, un deg eilfed, un deg trydydd, un deg pedwerydd, un deg pumed … dau ddegfed, dau ddeg unfed …* Mae'r dorf yn gweiddi ei chymeradwyaeth i sŵn y cyfrif rhythmig. Rydych chi'n ychwanegu'ch llais at y garfan sy'n cefnogi … pwy, tybed?

*　　　*　　　*

Cartŵn: Sion Jones.

Mae modd dweud llawer am rywun wrth wrando arno'n siarad, drwy sylwi ar ei acen a nodi ei eirfa. A oes modd ychwanegu at y disgrifiad hwnnw drwy sylwi ar y modd y mae'n cyfeirio at rifau? Yn Saesneg, *thirty* yw'r rhif 30. Mewn brawddeg Gymraeg gall siaradwr ddweud 'tri deg', 'deg ar hugain' neu, wrth gwrs, *'thirty'*. Mewn sgwrs, gall ddefnyddio cyfuniad cymhleth o'r dulliau hyn. Ydy patrwm ei iaith i fynegi rhifau yn ychwanegu at ein gwybodaeth amdano, o ran ei oed, ei addysg, ardal ei fagwraeth, neu natur ei waith? A oes gwahaniaeth rhwng iaith rhywun dinesig ac iaith rhywun o gefn gwlad? Byddai'r cymdeithasegydd yn dadlau bod dewis rhwng cyfri'n ddegol, yn draddodiadol, neu yn Saesneg, i gyd yn cynrychioli gwerthoedd gwahanol. Gwnawn benderfyniad amdanom ni'n hunain ac am ein gwrandawyr (pa un a ydym yn ymwybodol o hynny neu beidio) bob tro rydym yn dweud rhif. A yw ein dewis o iaith rhifo yn ychwanegu at ein niwrosis fel Cymry Cymraeg? Ai'r Cymro 'gorau' yw'r un sy'n defnyddio dulliau rhifo traddodiadol? Yn y bennod nesaf edrychwn ar y cwestiynau hyn o gyfeiriad ychydig yn wahanol.

Pos Seimon Rhys

O'r defaid tra breision eu hanner oedd wynion,
Eu chwarter yn dduon gan Seimon ges i,
Eu chweched yn gochion a phedair yn frithion.
Sawl un a roes Seimon Rhys i mi?

T. H. Parry-Williams, *Hen Benillion*
(Llandysul: Gwasg Gomer, 2010)

12

Iaith y paith

Bobol, fe aned baban! Mae'r fam a'r babi'n holliach. Mae'n achos llawenhau a chyfle i gyhoeddi'r newyddion da i'r byd a'r betws yn y papur newydd:

> Ar y 4ydd o Fai ganed Ioan Gwyn i Tina a Huw Gwyn yn Nhrevelin, yn pwyso 4,050 kg.

Pedair mil a phum deg cilogram? Choelia' i fawr! Mae hynny'n bedair tunnell ac yn cyfateb i bwysau eliffant canol oed! Ac yn raddol mae'r gwirionedd yn gwawrio. Hysbysiad yn *Y Drafod*, papur Cymraeg y Wladfa, yw hwn. Mae'r Ariannin wedi hen arfer â defnyddio unedau metrig ar gyfer pwyso a mesur. Mae hefyd yn dilyn trefn sy'n gyffredin mewn nifer o wledydd o ddefnyddio coma mewn symiau arian neu unedau pwyso a mesur – er enghraifft $1,30 a 5,7 kg – lle byddai pobl yng Nghymru yn defnyddio atalnod llawn – £1.30 a 5.7 kg. Felly, ystyr 4,050 kg yn iaith yr Ariannin yw 4 cilogram a 50 gram, sy'n cyfateb i 8 pwys, 14 owns. Bachgen bach llond ei groen yw Ioan!

*   *   *

Mae'n hawdd camddeall pethau, yn arbennig wrth gamu i ddiwylliant arall, hyd yn oed un sy'n rhannu'r un iaith â chi. 'Two peoples separated by a common language' oedd sylw George Bernard Shaw am y Saeson a'r Americanwyr. Tybed a ellir dweud rhywbeth tebyg am y Cymry a'r Gwladfawyr – trigolion y Wladfa – yn arbennig o ran eu geirfa rhifo? Hawdd fyddai tybio i'r Gwladfawyr, wedi'r ymfudo a'r ymsefydlu, aros ym myd pedwaredd ganrif ar bymtheg y Gymru a adawsant. Ym myd mathemateg (ac addysg yn gyffredinol) y gwir yw iddynt gamu ymlaen, gan adael trigolion Cymru ar ei hôl hi. O ran dulliau cyfrif, mae'r Cymry bellach wedi dod yn gwbl gyfarwydd â'r dull degol o rifo ond roedd y Gwladfawyr ymhell ar y blaen o ran mabwysiadu'r drefn newydd honno.

Yn 1940, teithiodd Gwilym Thomas, yn llongwr ifanc 19 oed, o Gymru i'r Ariannin. Ar ôl glanio yn Buenos Aires, penderfynodd y byddai'n ceisio cysylltu â rhai o'r Gwladfawyr a oedd yn byw yn y brifddinas honno erbyn hynny. Doedd gan Gwilym Thomas ddim cysylltiadau yn y wlad, ond pa ots am hynny? Chwiliodd drwy lyfr ffôn yn Buenos Aires am y Jones cyntaf a welai, gan dybio y byddai aelodau'r teulu hwnnw yn siŵr o fod yn ddisgynyddion i'r Gwladfawyr cyntaf. Bu'n lwcus, a chafodd addewid yn syth o groeso mawr. Trefnodd i gyfarfod ei gyfeillion newydd, ond cafodd y Jonesiaid gryn sioc pan welsant Gwilym Thomas. Roeddent wedi disgwyl croesawu gŵr canol oed. Yn lle hynny, gwelsant mai llanc ifanc oedd yn eu hwynebu. Cafwyd llawer o hwyl a thynnu coes ar gownt y gamddealltwriaeth ac nid oedd y croeso damaid yn llai gwresog. Ond beth oedd wedi achosi'r gamddealltwriaeth yn y lle cyntaf? Pan ofynnwyd i Gwilym Thomas dros y ffôn faint oedd ei oed, atebodd ar ei ben ei fod yn bedair ar bymtheg. Doedd y Jonesiaid ddim yn gyfarwydd â'r rhif 'pedair ar bymtheg' a'u dehongliad ohono oedd 'pedwar ar bum deg', sef 4 + 50, neu 54. Doedd ryfedd, felly, i'r teulu ddisgwyl croesawu gŵr canol oed i'w plith a chael syndod – un digon pleserus, mae'n siŵr – o gyfarfod llanc 19 oed!

Mae'r eglurhad am gamddealltwriaeth y Jonesiaid yn syml; mae dull trigolion y Wladfa o gyfrif yn Gymraeg yn wahanol i ddull traddodiadol trigolion Cymru. Ar ôl i'r Gwladfawyr cyntaf lanio ym Mhorth Madryn yn 1865 a dechrau sefydlu'u hunain yn Nyffryn Camwy roeddynt yn rhydd i benderfynu ar eu ffordd o fyw, ar drefn eu haddoli, ar drefn addysg eu plant, ac ar drefn eu hymwneud bob dydd mewn busnes a gwaith. Talaith gwbl Gymraeg oedd hon i fod, yn unol â gweledigaeth sylfaenwyr y Wladfa, Michael D. Jones a Lewis Jones. Roedd y nod hwnnw'n llywio pob agwedd ar fywyd y Gwladfawyr.

Sefydlwyd ysgol gyntaf y Wladfa yn 1868 gan R. J. Berwyn (1836–1917), un a oedd yn frwd dros wireddu breuddwyd y sylfaenwyr. Y Gymraeg oedd iaith yr ysgol a Chymraeg oedd iaith pob gwers ynddi, gan gynnwys y gwersi symiau. 'Dysgai bawb i ddweud Rhifyddeg yn hytrach nag Arithmetic', oedd tystiolaeth Fred Green, ŵyr R. J. Berwyn. Tra oedd eu cefndryd uniaith Gymraeg yng Nghymru yn dysgu syms yn Saesneg ac yn parablu *twice one, two; twice two, four …*' roedd plant y Wladfa yn dysgu 'dau un, dau; dau dau, pedwar …' Ar ei ymweliad â'r Wladfa yn 1882 synnodd Michael D. Jones glywed plant ysgol yn adrodd y tablau yn Gymraeg: 'Gwrandawsom arnynt yn adrodd y *multiplication table* yn Gymraeg; yr hyn ni chlywsom erioed o'r blaen.' Gwneud syms mewn iaith estron roedd y Cymry gartref; gwneud symiau yn eu hiaith naturiol roedd plant y Wladfa.

Roedd y penderfyniad i ddefnyddio'r Gymraeg wrth drin rhifau yn sicrhau nid yn unig bod ysgolion y Wladfa yn gwneud symiau yn Gymraeg, ond bod gwerthu a phrynu mewn busnes a marchnad hefyd yn cael eu cyflawni yn Gymraeg. Mae cyfrifon y Co-op – Cwmni Masnachol y Camwy Cyf. – yn agoriad llygad. Maent yn defnyddio termau ac ymadroddion Cymraeg cwbl newydd i fynegi'r pethau cymhleth y mae angen eu cynnwys mewn cyfrifon. Er enghraifft:

Llai dadrif (disgownt) o 10% ar gyfer dadrywiad (traul)

sef ffordd dechnegol o gydnabod mewn cyfrifon fod gwerth offer y cwmni yn lleihau o flwyddyn i flwyddyn. Yn Saesneg, ac yn Saesneg yn unig, yr oedd cyfrifon busnes yn cael eu cadw yng Nghymru yn yr un cyfnod.

Ond sut roedd modd gwneud hyn i gyd (dysgu symiau yn Gymraeg a defnyddio'r Gymraeg mewn busnes a masnach) gyda'r dull trwsgl, traddodiadol o enwi rhifau yn Gymraeg? A fyddai disgwyl i blant y Wladfa wneud y sym 36 + 74 trwy ddweud 'un ar bymtheg ar hugain adio pedwar ar ddeg a thrigain'? Na, siŵr iawn! Y ffordd amlwg i symud ymlaen oedd trwy fabwysiadu dull degol o gyfrif. Yn y dull hwn mae'r geiriau'n newid i 'tri deg chwech adio saith deg pedwar' a hynny'n gwneud y sym yn gymaint haws. A dyna ddechrau ar chwyldro bach tawel yn y Wladfa. Yn 1878 cyhoeddodd R. J. Berwyn lyfr ar gyfer athrawon y Wladfa yn rhestru pethau i'w cynnwys mewn gwersi. Hwn oedd y llyfr Cymraeg cyntaf i'w gyhoeddi yn y Wladfa ac ynddo mae R. J. Berwyn yn argymell dull degol o gyfrif. A dyna oedd sail y gwaith rhif: peidio â defnyddio'r geiriau traddodiadol fel deuddeg, tri ar ddeg, pymtheg, deunaw, pedwar ar bymtheg, ugain ac yn y blaen, ond cadw'n syml at y dull degol.

*   *   *

Roeddwn yn gwybod am y gwahaniaethau hyn cyn teithio i'r Wladfa yn 2002, ac yn chwilfrydig i weld a chlywed drosof fy hun y defnydd oedd yn cael ei wneud o'r Gymraeg yno wrth drin rhifau. Nid yw'n hawdd dod i gasgliadau syml oherwydd cynifer y dylanwadau ar iaith y Wladfa. Y blynyddoedd rhwng tua 1868 a 1906 oedd cyfnod aur y Gymraeg. Erbyn 1906 roedd llywodraeth yr Ariannin wedi mynnu mai Sbaeneg fyddai prif iaith addysg y dalaith. Oherwydd hynny, Sbaeneg yw dewis iaith trigolion y Wladfa heddiw wrth wneud symiau ac mewn busnes a masnach. Ar yr un pryd, mae siaradwyr Cymraeg yn y Wladfa yn deall rhifau Cymraeg yn y dull degol: 'dau ddeg pump' am 25, er enghraifft. Maent yn gallu nodi blwyddyn yn gywir, gan ddweud 'mil naw cant wyth deg pump' am 1985, lle byddai llawer o Gymry yn defnyddio'r Saesneg, *nineteen eighty-five*, a rhai Cymry eraill y talfyriad, 'un naw wyth pump'.

Llai sicr, fodd bynnag, yw gafael pobl y Wladfa ar lawer o'r ffurfiau Cymraeg traddodiadol o rifo. Mae rhai'n cael trafferth gyda geiriau fel 'deuddeg' a 'phymtheg'. Fel yr eglurodd un o drigolion y Wladfa wrthyf, 'Mae'r gair deuddeg yn debyg i ddau ddeg, a'r gair pymtheg yn debyg i bum deg.' Dyna, wrth gwrs, sy'n egluro problem Gwilym Thomas. Erbyn heddiw mae nifer o drigolion y Wladfa yn defnyddio'r gair 'ugain', yn arbennig wrth gyfeirio at oed neu at ddyddiad, ac mae rhai wedi dod ar draws y gair wrth ddarllen. Ond y bwgan mawr yw'r gair 'deunaw' (18). Chlywais i fawr neb yn defnyddio'r gair hwn yn y Wladfa. Gofynnais i rai unigolion a oedd wedi treulio'u hoes yn y Wladfa a oeddynt yn gyfarwydd ag ystyr 'deunaw'. Yr ateb bron bob tro oedd fod y gair yn gwbl ddieithr iddynt.

Ar wahân i ddylanwad yr aelwyd a dylanwad yr ysgol, efallai mai'r dylanwad mwyaf arall ar nifer o genedlaethau o blant y Wladfa oedd iaith y capel. Yno byddai plant yn clywed patrymau iaith y Beibl Cymraeg traddodiadol. Byddent yn clywed y gair 'deuddeg' yn aml: deuddeg llwyth Israel; deuddeg o feibion Jacob; deuddeg disgybl yr Iesu. Byddent hefyd yn clywed ffurfiau yn cynnwys y gair 'ugain': deugain niwrnod y dilyw; am ddeugain dydd a deugain nos yr ymprydiodd yr Iesu. Ond ymhle y byddent yn clywed y gair 'deunaw'? Prin iawn yw'r cyfeiriadau at 'ddeunaw' yn y Beibl, a dim un ohonynt yn y Testament Newydd. Tybed ai am y rhesymau hyn y mae'r gair 'deunaw' wedi diflannu i bob pwrpas o eirfa Gymraeg trigolion y Wladfa? 'Un deg wyth' yw 18 yn y Wladfa bron yn ddi-ffael.

*   *   *

Lle arbennig iawn yw Amgueddfa Wladfaol y Gaiman, y Museo Historico Regional. Dechreuwyd trafod ei sefydlu yn 1960 gyda chymorth ariannol gan lywodraeth yr Ariannin, a phenodwyd Tegai Roberts i edrych ar

Disgyblion Ysgol Rawson, 1880.

Adran Archifau a Llawysgrifau, Prifysgol Bangor.

ei hôl. Mae Tegai Roberts yn parhau i fod yn gyfrifol am yr amgueddfa, hanner cant a mwy o flynyddoedd yn ddiweddarach. Erbyn hyn, mae'r amgueddfa wedi'i lleoli yn hen stesion y Gaiman, ac mae'n wyrth ac yn glod i waith Tegai Roberts i'r casgliad aros yn gyflawn cyhyd. Mae ynddi nifer o ddogfennau, llyfrau a lluniau unigryw am hanes y Wladfa. Un o'r dogfennau rhyfeddol hyn yw llyfr gwaith mathemateg Caradog Jones.

Roedd Caradog yn ddisgybl yn ei arddegau yn ysgol R. J. Berwyn yn nhref Rawson yn y 1880au. Dysgodd gyfrif yn y dull degol newydd a gwneud pob math o symiau yn Gymraeg. Dysgodd Caradog hefyd sut i drin ffracsiynau (*fractions*) a degolion (*decimals*) a sut i weithio efo canrannau (*percentages*), y cyfan yn Gymraeg.
Ond aeth gwersi Caradog ymhellach o lawer na hynny. Dysgodd sut i sgwario rhifau, er enghraifft mai sgwâr y rhif 13 (sef 13×13) yw 169. Yn rhyfeddach fyth, dysgodd sut i weithio'r broses am yn ôl. Gan ddechrau â'r rhif 106,929 darganfu Caradog mai 327 yw'r rhif sy'n lluosi efo'i hun i wneud 106,929. Y term modern am hyn yw 'darganfod yr ail isradd' – *'finding the square root'*. Yr ymadrodd a ddefnyddiodd Caradog oedd 'darganfod y gwreiddyn ysgwar', ac roedd y cyfan o'i waith yn Gymraeg.

T. G. Prichard oedd athro Caradog ac aeth hwnnw ati gyda brwdfrydedd i roi canllawiau R. J. Berwyn ar waith. I goroni'r cyfan mae Caradog yn defnyddio'i wybodaeth am rifau i ddatrys problemau mewn geometreg. Yn y maes hwnnw mae theorem Pythagoras yn ddarganfyddiad enwog am drionglau ongl sgwâr (*right-angled triangles*). Roedd Groegiaid yr oes glasurol (tua 500 CC) yn gyfarwydd â'r theorem ac mae'n bosibl ei bod hefyd yn gyfarwydd i'r Babiloniaid ryw fil o flynyddoedd ynghynt. Yn ein hoes ni daeth y theorem yn rhan o brofiad mathemateg cenedlaethau o blant ysgol. Fyddai neb yng Nghymru yn 1880 yn trin theorem Pythagoras yn Gymraeg, ond yma, o dan fy nhrwyn yn Amgueddfa'r Gaiman, roedd tystiolaeth fod Caradog Jones yn 1880 yn gwbl gyfforddus yn defnyddio'r theorem yn ei famiaith.

Yn ei lyfr gwaith (y *copybook*) mae Caradog yn defnyddio Cymraeg newydd a ffres i ddisgrifio'r broblem y mae'n ceisio'i datrys: 'Mae ochr hwyaf triongl union yn 52 llath a'r ochr dalsyth yn 20 llath. Faint yw hyd y gwaelod?' Mae wedyn yn mynd ati i ddefnyddio theorem Pythagoras i ddarganfod yr ateb i'r cwestiwn, sef 48 llathen.

Mae hon yn enghraifft o broblem sy'n cael ei datrys yn ddyddiol heddiw gan ddisgyblion ein hysgolion uwchradd, ac mae'r termau Cymraeg i gyd ar gael i wneud hynny. Ond 1880 oedd hyn a doedd neb yng Nghymru – dim un disgybl – yn gwneud pethau tebyg yn Gymraeg.

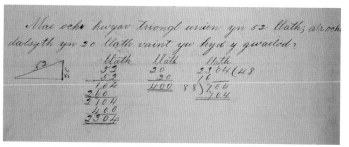

Rhan o waith Caradog Jones yn 1880 wrth ddefnyddio theorem Pythagoras yn Ysgol Rawson.

Amgueddfa Wladfaol y Gaiman.

Profodd ysgolion R. J. Berwyn ei bod yn gwbl bosibl ac yn gwbl ymarferol defnyddio'r Gymraeg ar draws yr holl bynciau ysgol. Dangosodd fod ffordd syml a naturiol i wneud mathemateg yn Gymraeg, a phrofodd nad oedd y Gymraeg yn rhwystr o fath yn y byd at ddysgu'r pwnc. Daethai'r cyfan i ben erbyn diwedd y ganrif wrth i bolisïau llywodraeth yr Ariannin wanhau gafael y Gymraeg yn y system addysg. Yn hanner cyntaf yr ugeinfed ganrif bu rhai ysgolion yng Nghymru yn dechrau arbrofi drwy ddefnyddio'r Gymraeg mewn gwersi mathemateg, ond bu'n rhaid aros tan y 1950au cyn i ysgolion Cymru ddechrau defnyddio'r Gymraeg o ddifrif mewn gwersi mathemateg a dilyn arweiniad arloesol R. J. Berwyn a'i gyfoedion.

Mae un ac un yn gwneud dau yn y Wladfa, fel yng Nghymru a phobman arall. Ond mae profiad y gwahanol genedlaethau o Wladfawyr o rifo ac o fathemateg wedi amrywio llawer. Yng nghyfnod Caradog Jones nid oedd mathemateg yn beth estron i blant y Wladfa a chawsant y cyfle i wneud eu mathemateg yn eu mamiaith. Nid gwneud mathemateg yn iaith pobl eraill oedd eu profiad – yn groes i brofiad plant Cymru o'r un cyfnod.

Pos lliw'r arth

Pa liw yw'r arth?

Treiddiodd cusan y gwanwyn
I'w fyd ar ryw awel fwyn,
Arwydd ailddeffro gweryd
A'r deffro'n gyffro i gyd
Yn ei annog ar unwaith
I'r De, treulio awr ar daith.
Awr union yn Ddwyreiniol,
Yna awr i'r Gogledd 'nôl.
Wele, dychwelodd eilwaith
I'r ffau lle bu dechrau'r daith.

Glyn Parri

13

Od nad wyf i fyw dan do

Llinell o gynghanedd o waith y Prifardd Eirian Davies (1918–98) yw teitl y bennod hon. 'Ymson Tramp' yw'r pennawd o eglurhad a roddodd Eirian Davies ar y llinell. Ond mae gan y llinell nodwedd arbennig arall, un y mae'n ei rhannu â'r llinell fwy adnabyddus, *Lladd dafad ddall*. Un o'r llinellau enwog tebyg yn Saesneg yw: *A man, a plan, a canal – Panama*. Yr hyn sy'n gyffredin i'r tair enghraifft yw fod llythrennau pob llinell yn darllen o'r chwith i'r dde yn union fel y maen nhw'n darllen o'r dde i'r chwith. Mae pob llinell yn 'balindrom'.

Mae rhai geiriau unigol yn balindromau – enwau personol fel *Bob* a *Nan*, a geiriau cyffredin fel *mam, dod, dafad, llall*. Mae'n fwy o gamp llunio cymal neu frawddeg balindromig. Pan osodais y sialens honno mewn cystadleuaeth gyhoeddus cefais nifer o gynigion gwreiddiol, y mwyafrif ohonynt yn fyr ac yn gywir, ond heb lawer o ystyr yn perthyn iddynt. Er enghraifft, mae *Soffa a ffos* yn balindrom cywir ond beth yw ei ystyr? Cyn darllen ymhellach, rhowch gynnig ar lunio llinell balindromig eich hun, waeth pa mor syml.

Tasg anodd? Y syndod oedd i mi dderbyn cynifer o gynigion – rhai syml fel *Bara i arab* a *Naw mam wan*, ac eraill yn hynod o gelfydd:

> Lôn ac ynys yn y canol.
> Lle da i ddiadell.

Roedd cynnig Eirian Davies ar ffurf palindrom, a oedd hefyd yn cynganeddu, yn un arbennig iawn. Ei unig ddiffyg oedd fod angen rhoi pennawd iddo er mwyn egluro'i ystyr. Ond roedd cynnig arall, gwell fyth, sy'n adrodd stori lawn mewn brawddeg nad oes angen ei hegluro. Llinell Dr Tom Davies, Abertawe, aeth â hi:

> Nia, ni lefara'n ara' fel 'i nain.

Gallwn yn hawdd ymestyn y syniad o balindrom. Er enghraifft, mae'r rhifau 282 a 1661 a 253676352 i gyd yn rhifau palindromig. Ysbrydolwyd cerddorion, gan gynnwys y cyfansoddwyr clasurol Mozart a Haydn, i blethu darnau cerddorol palindromig yn eu gwaith. Mae ceisio gweld patrwm yn reddf gref iawn yn y natur ddynol – mae patrwm yn rhoi trefn ar bethau. Wrth astudio'r byd o'n cwmpas mae'r gwyddonydd yn credu nad yw pethau'n digwydd ar hap, a'i dasg yw ceisio canfod patrymau yn yr hyn a welir ganddo. 'Canfod cymesuredd ymysg y gronynnau' oedd disgrifiad T. H.

Pos y palindromau

Roedd 2002 yn flwyddyn balindromig.
Beth yw'r flwyddyn balindromig nesaf?

Ar gloc digidol, beth yw'r amser palindromig
cyntaf ar ôl hanner nos?

Parry-Williams o ymdrechion gwyddonwyr i ddeall cyfrinachau'r atom, ymgais sy'n parhau hyd heddiw mewn canolfannau ymchwil fel CERN, y ganolfan ymchwil Ewropeaidd yng Ngenefa, y Swistir.

Drwy grefft yr artist, mae patrymau lliw, siâp a ffurf yn ysgogi ymateb yn y gwyliwr. I'r bardd, mae patrymau rhythm ac odl yn gallu ychwanegu dyfnder ychwanegol at y geiriau. Yn yr un modd, mae canfod patrwm yn ganolog i ffordd y mathemategydd o feddwl. Mae symlrwydd a 'phrydferthwch' yn nodweddion pwysig iddo: 'There is no permanent place in the world for ugly mathematics', chwedl y mathemategydd G. H. Hardy. Mae'r reddf hon i ddefnyddio patrymau i'w gweld yn glir yn y diwylliant Cymraeg a Chymreig. Mae patrymau'r gynghanedd yn ddylanwad cryf ar ein barddoniaeth; mae patrymau alawon gwahanol yn sail i'n canu gwerin a cherdd dant;

Patrwm clymau Celtaidd ar ben croes o ardal Llandeilo.

Cwilt ar batrwm sêr o waith Sara Lewis, Aberdâr, yn 1875.

mae patrymau clymau Celtaidd yn addurno ein croesau cerrig hynafol; ac mae addurniadau cwiltiau Cymreig yn gwneud defnydd helaeth o batrymau lliwgar.

*   *   *

Mae sylwi ar batrymau mewn mathemateg hefyd yn gymorth i ddysgu'r pwnc. Mae canfod patrwm yn hybu'r *deall pam* ac yn gallu cyflwyno llawer o hwyl i'r dysgu. Meddyliwch am ddysgu tabl 9 – un naw yw naw ($1 \times 9 = 9$), dau naw yw un deg wyth ($2 \times 9 = 18$), tri naw yw dau ddeg saith ($3 \times 9 = 27$) … Mae ei ddysgu'n foel felly yn colli cyfle euraid i weld patrymau'r tabl.

Dyma rifau tabl 9, hyd at ddeg naw:

9, 18, 27, 36, 45, 54, 63, 72, 81, 90

Pa batrymau welwch chi yn y rhifau hyn?

Mae nifer o sylwadau'n bosibl. Er enghraifft:

Mae'r llinell o rifau yn edrych yn debyg iawn i balindrom.

Mae'r rhifau mewn parau: 45 a 54; 36 a 63; 27 a 72 ac yn y blaen.

Mae digid yr unedau yn lleihau fesul un: 9, 8, 7, 6, 5, 4, 3, 2, 1, 0.

Wrth adio digidau pob rhif mae'r ateb yn 9 bob tro.

Mae'r sylw olaf hwn yn arbennig o ddiddorol gan ei fod yn wir am *bob rhif* yn y rhes. Greddf y mathemategydd yw chwilio am batrymau cyffredinol, patrymau sy'n wir *bob tro*, heb eithriad. Yr hyn a awgrymir yma am dabl 9 yw fod digidau'r rhifau yn adio i 9 *bob tro*. Mae'r honiad yn sicr yn wir am y rhifau yn y tabl rhwng 9 a 90. Er enghraifft, cyfanswm digidau 45 yw 4 + 5, sef 9; cyfanswm digidau 90 yw 9 + 0, sef 9. Er mwyn ei wneud yn haws i gofnodi hyn defnyddiwn saeth yn lle ysgrifennu 'adio digidau'r rhif'. Felly, 45 → 9, a 90 → 9.

Ond beth sy'n digwydd os awn ati i ymestyn rhifau'r tabl ymhellach na 90? Wedi'r cyfan, nid yw tabl 9 yn dod i ben ar ôl cyrraedd 10 × 9. Dyma'r deg rhif nesaf yn y tabl:

99, 108, 117, 126, 135, 144, 153, 162, 171, 180

Faint yw cyfanswm digidau pob un o'r rhifau hyn, gan sylwi bod angen adio hyd at dri digid y tro hwn? Gan ddefnyddio'r arwydd → eto, gallwn ysgrifennu 99 → 18, 108 → 9, ac yn y blaen. Dyma'r rhestr lawn:

18, 9, 9, 9, 9, 9, 9, 9, 9, 9

Ac ie, yr ateb yw 9 eto, bron bob tro. Yr unig eithriad yw'r 18 ar y dechrau, sef cyfanswm digidau 99. Ond cyfanswm digidau 18 yw 9 hefyd (1 + 8 = 9). Hynny yw, 99 → 18 → 9. Mae rhywbeth diddorol yn digwydd yma ond mae angen ei dwtio rhyw ychydig cyn ein bod yn gallu canfod rheol sy'n wir *bob tro*.

Awn ati fel hyn. Mae adio digidau rhif yn creu rhif newydd ac os awn ymlaen i adio digidau'r rhif hwnnw hefyd byddwn yn y pen draw yn cyrraedd rhif un-digid. Er enghraifft, wrth ddechrau â'r rhif 7869 cawn y camau hyn:

7869 → 30 → 3

ac wrth ddechrau â'r rhif 7868 cawn y camau:

7868 → 29 → 11 → 2

Yn yr enghraifft gyntaf mae angen dau gam cyn cyrraedd rhif un-digid; yn yr ail enghraifft mae angen tri cham.

Er mwyn osgoi ailadrodd y geiriau 'adio digidau'r rhif hyd nes y cawn rif un-digid' dro ar ôl tro byddwn yn defnyddio'r cymal 'craidd y rhif'. Felly, craidd 36 yw 9, craidd 72 yw 9, craidd 99 yw 9, a gallwn ddefnyddio'r un dull i ddarganfod craidd unrhyw rif. Er enghraifft, craidd 42 yw 6, craidd 133 yw 7, a chraidd 2132 yw 8. Weithiau mae angen dau neu ragor o gamau i ddarganfod y craidd, fel y gwelsom uchod gyda'r rhifau 7869 a 7868 – craidd 7869 yw 3, a chraidd 7868 yw 2.

Trown ein sylw'n ôl at y rhifau yn y tabl 9 estynedig:

9, 18, 27, 36, 45, 54, 63, 72, 81, 90, 99,
108, 117, 126, 135, 144, 153, 162, 171, 180 …

140

Mae'r dotiau ar y diwedd yn dangos bod y rhifau yn y tabl hwn yn parhau'n ddiddiwedd. A ninnau bellach wedi ychwanegu'r syniad o 'graidd rhif' at ein geirfa gallwn fentro awgrymu rhywbeth sy'n wir am *bob rhif* yn y tabl hwn, sef:

craidd *pob rhif* yn nhabl 9 yw 9.

Gydag ychydig o waith algebra mae modd profi fod yr honiad hwn yn gywir – rhaid i chi gymryd fy ngair am hynny! Mae'r patrwm yn wir, nid yn unig am *rai* o'r rhifau yn y tabl, ond mae'n wir am *bob rhif.* Dyna yw grym mathemateg.

Dyma rai enghreifftiau pellach sy'n dangos pa mor bwerus yw patrwm tabl 9:

Craidd y rhif 423 yw 9, gan fod 423 → 9.	Beth yw craidd y rhif 3799? Wrth adio'r digidau cawn y patrwm: 3799 → 28 → 10 → 1.
Felly, mae 423 yn nhabl 9.	Hynny yw, craidd 3799 yw 1. Felly *nid* yw 3799 yn nhabl 9.

Beth yw craidd y rhif 3,878,514?

Wrth adio'r digidau cawn y patrwm: 3,878,514 → 36 → 9.

Hynny yw, craidd y rhif 3,878,514 yw 9.

Felly, mae 3,878,514 yn nhabl 9.

Rydym wedi dangos bod 3,878,514 yn nhabl 9 heb orfod gwneud unrhyw symiau lluosi na rhannu!

Cofiwch nad yw'r patrymau hyn yn gweithio ar gyfer pob tabl. Er enghraifft, craidd y rhif 17 yw 8, ond nid yw 17 yn nhabl 8. Rhaid bod yn ofalus!

*   *   *

Wrth gynnal cyfarfod mewn cymdeithas capel dangosais y bwrdd emynau hwn, un tebyg iawn i'r byrddau emynau sy'n wynebu cynulleidfaoedd mewn eglwys a chapel o Sul i Sul, ar hyd a lled y wlad.

'Canwn rif yr emyn ...'

Mentrais ofyn, heb unrhyw syniad beth fyddai'r ymateb, a oedd yn arferiad gan unrhyw un yn y gynulleidfa i sylwi ar y rhifau o gwbl a'u trin mewn unrhyw ffordd, cyn i'r oedfa ddechrau, neu efallai, hyd yn oed ar ganol pregeth! Er mawr syndod i mi, roedd aelodau'r gynulleidfa yn barod iawn i rannu nifer o'u meddyliau cudd:

> Rwyf yn edrych i weld a yw pob un o'r rhifau rhwng 0 a 9 yno. (Ar y bwrdd hwn mae'r rhif 6 ar goll.)

> Rwyf yn gweld pa mor gyflym y gallaf adio rhifau'r pedwar emyn yn fy mhen. (Cyfanswm y rhifau ar y bwrdd hwn yw 781.)

Ond ymateb Morien Phillips, yr actor a'r adroddwr adnabyddus, oedd yr un mwyaf annisgwyl. Dywedodd Morien Phillips iddo fod yn arferiad ganddo arbrofi trwy gyfrifo 'craidd' y rhifau ar y bwrdd emynau – er nad oedd yn defnyddio'r gair 'craidd' nac unrhyw derm technegol arall i ddisgrifio'r peth. Ar y bwrdd arbennig hwn, byddai'n dychmygu gosod y rhifau mewn rhes er mwyn gwneud un rhif mawr:

28, 197, 153, 403

Yna byddai'n cyfrifo'r craidd gan adio'r digidau a chael y patrwm:

28, 197, 153, 403 → 43 → 7

Felly, craidd y rhif ar y bwrdd hwn yw 7.

Arferiad Morien Phillips oedd mynd gam ymhellach na hynny. Roedd yn arbrofi hefyd trwy gyfrifo craidd pob emyn yn unigol, ac yna yn adio'r pedwar craidd ac yn cyfrifo craidd yr ateb! Er mawr syndod iddo, roedd yn cael yn union yr un ateb â chraidd y rhif llawn. Ar y bwrdd hwn, dyma fyddai ei gamau:

28	→ 10 → 1
197	→ 17 → 8
153	→ 9
403	→ 7
	1 + 8 + 9 + 7 = 25 craidd 25 yw 7

Wedyn, petai hynny ddim yn ddigon, roedd yn adio rhifau'r emynau i gael y cyfanswm o 781 ac yn cyfrifo craidd y rhif hwnnw. Patrwm 781 yw 781 → 16 → 7. Felly, craidd 781 yw 7. A dyna'r ateb 7 yn ymddangos unwaith eto! Ailadroddodd Morien Phillips yr arbrawf hwn o Sul i Sul, a chanfod nad oedd y patrwm byth yn methu, a rhyfeddai ato bob tro. Ac unwaith eto, gyda chymorth ychydig o algebra, gallwn brofi fod hyn yn wir *bob tro.*

Ar wal fewnol yn Llyfrgell Prifysgol Bangor mae cerdd gan Gwyn Thomas sy'n gân o fawl i'r pynciau sy'n cael eu hastudio mewn prifysgol. Wrth gyfeirio at fathemateg, mae'r bardd yn sylwi ar 'osgeiddrwydd a chyfaredd rhifau'. Nid mewn prifysgol yn unig y gallwn fwynhau patrymau mathemateg sy'n creu'r 'gyfaredd' honno. Mae'r patrymau yno i'w canfod a'u mwynhau gan bawb, fel y mae enghraifft Morien Phillips yn dangos.

Mae gan ddarganfyddiad Morien Phillips ddefnydd ymarferol hefyd. Wrth gau eu llyfrau cyfrifon ar ddiwedd y dydd roedd yn arferiad gan glercod mewn banciau (cyn dyddiau cyfrifiaduron) geisio gwneud yn siŵr nad oeddynt wedi gwneud unrhyw gamgymeriadau wrth adio symiau arian. I wneud hynny roeddynt yn arfer y dull a ddefnyddiwyd gan Morien Phillips ar y tudalennau yn eu llyfrau cownt. Os nad oedd craidd y cyfanswm ar waelod pob tudalen yn cyfateb i gyfanswm creiddiau'r rhifau unigol, yna roeddynt yn gwybod eu bod wedi gwneud camgymeriad a bod angen mynd ati i ail-wneud y cyfan. Ar yr olwg gyntaf, ymarferiad digon pleserus yn unig yw dull Morien Phillips, a syndod yw darganfod y gellir ei ddefnyddio at bwrpas ymarferol. Mae gwaith mathemategwyr heddiw yn gallu cael ei ddefnyddio yfory mewn ffyrdd na allwn eu rhagweld ar y pryd. Er enghraifft, mae diogelwch y cardiau banc plastig, a ddefnyddiwn yn ddyddiol heddiw, yn dibynnu'n llwyr ar batrymau rhif a ddarganfyddwyd gan fathemategwyr ganrifoedd yn ôl, ymhell cyn i gardiau banc ddod i fodolaeth!

Beth am y tablau eraill? Beth, tybed, fyddai'r patrwm pe byddem yn mynd ati i gyfrifo craidd rhifau tabl 8, dyweder, neu dabl 6? A dyna ni'n dechrau mentro ar drywydd patrymau eraill ac yn dechrau ar y broses o fathematega go iawn. Hanfod mathemateg yw arbrofi trwy chwilio am batrymau a dyna sy'n cyfoethogi'r pwnc i blant ysgol, i fyfyrwyr coleg, ac i unigolion chwilfrydig fel Morien Phillips, fel ei gilydd.

*   *   *

Wrth wneud fy ngwaith cartref mathemateg yn ystod fy ail flwyddyn fel disgybl ysgol uwchradd, digwyddais daro ar batrwm rhif 'diddorol'. Yr hyn y sylwais arno oedd fod adio'r rhifau 1, 2 a 3 a lluosi'r rhifau 1, 2 a 3 yn rhoi yr un ateb yn union – wrth adio'r rhifau cawn 1 + 2 + 3, sef 6; ac wrth luosi'r rhifau 1, 2, a 3, cawn $1 \times 2 \times 3$, sef 6 eto. Waw! Roeddwn wedi cynhyrfu'n lân a'r bore wedyn yn ysu am ddangos y 'darganfyddiad' i'r athro maths. 'Did you know, sir,' gofynnais iddo ar ganol y coridor yn yr ysgol, 'that if you add one, two and three, you get the same answer as when you multipy them?' 'Yes,' atebodd, 'I know that,' a cherdded i ffwrdd! Do, collodd yr athro gyfle i fanteisio ar frwdfrydedd naturiol hogyn ysgol ifanc. Tynnwyd y gwynt o'm hwyliau ac roedd y siom gymaint yn fwy oherwydd fy edmygedd ohono fel athro. Ond chwarae teg iddo, mae'n siŵr fod ganddo bethau eraill ar ei feddwl y bore hwnnw ar ganol coridor yn llawn o blant yn symud rhwng gwersi. Roedd yr athro hefyd wedi cael ei gyfyngu gan y maes llafur mathemateg a oedd yn canolbwyntio bryd hynny ar ddysgu technegau diddiwedd a chofio llond rhes o fformiwlâu. Doedd dim amser, mewn gwirionedd, i sefyll yn ôl a rhyfeddu at batrymau mewn rhifau a siapiau. Pwnc di-liw a digynnwrf oedd mathemateg, o leiaf mewn gwersi ysgol.

Erbyn heddiw mae sylwi ar batrymau mewn mathemateg yn rhan naturiol o brofiad plant yn yr ysgol gynradd. Mae'r cyfleoedd yno hefyd yn yr ysgol uwchradd wrth ddilyn y cwrs TGAU, fel rhan o'r cwrs lefel A, ac mewn cyrsiau prifysgol. Mae'n siŵr nad dyna oedd profiad Morien Phillips o'i ddyddiau ysgol, ond eto roedd yn barod iawn i fentro ac i ryfeddu at y patrymau rhif a ddatgelwyd iddo o Sul i Sul. Yr her i athrawon a darlithwyr mathemateg yw cyfleu mathemateg fel maes cyffrous sy'n gallu cydio yn nychymyg plant ysgol a myfyrwyr coleg, fel ei gilydd. Un dull o wneud hynny yw trwy eu harwain i chwilio am y cyfoeth o batrymau sy'n gwau trwy'r maes. Fel yr arlunydd a'r bardd, mae'r mathemategydd, yn fwy na dim, yn lluniwr patrymau.

Pos 1, 2, 3

Mae $1 + 2 + 3 = 1 \times 2 \times 3$

Ydy'r patrwm hwn yn bosibl ar gyfer unrhyw rifau eraill?

I gloi

Ar gynhyrfiad y dŵr

Ym mhennod gyntaf y llyfr hwn cawsoch eich cyflwyno i Catrin yn ferch naw oed. Gyda threigl amser mae hi wedi tyfu yn ddynes ifanc erbyn hyn. Mae'r llythyr dychmygol hwn at Catrin yn ymgais i glymu penodau'r llyfr at ei gilydd.

Bangor
Gorffennaf 2012

Annwyl Catrin

Wyt ti'n cofio'r bore braf hwnnw o Hydref pan ymunais o amgylch y bwrdd gyda'th grŵp yn yr ysgol gynradd, a thithau wedi dy gynhyrfu'n lân yng nghanol dy fathemateg?

Mae'n siŵr nad hwnnw oedd yr unig dro i ti gael dy swyno wrth weld patrymau mewn rhifau a siapiau fel rhan o'th wersi ysgol. Gobeithiaf i'r wefr honno barhau wrth i ti fynd ymlaen i'r ysgol uwchradd.

Gobeithiaf hefyd dy fod wedi cael dy gyflwyno i hanes rhai sydd wedi gadael eu

hôl ar fathemateg – rhai fel y Cymry William
Jones a Robert Recorde – a dod i wybod rhywbeth
am eu cefndir a'u cyfraniad. Pobl go iawn, fel
ti a mi, sydd wedi creu mathemateg.

Mae'n bosib dy fod yn fam erbyn hyn ac yn
gweld dy blant dy hun yn mynd drwy'r ysgol.
Beth yw dy obeithion drostynt? Wyt ti'n cael cyfle
i chwarae gemau rhif gyda nhw? Pan fyddan
nhw'n cael trafferthion gyda'u gwaith cartref
mathemateg ac yn troi atat am gymorth, sut
fyddi'n ymateb? Wyt ti'n mynd ati i'w helpu i
ddod i ddeall pethau eu hunain? Neu a wyt
ti'n bodloni ar ddangos iddyn nhw sut i gael
yr atebion cywir?

Ydy dy blant yn cael y manteision o wneud
eu mathemateg yn Gymraeg drwy'r ysgol, fel
y gwnest ti? Wyt ti'n gallu ymhyfrydu yn eu
gallu i ddefnyddio'r Gymraeg yn gwbl naturiol
wrth wneud mathemateg? Ydyn nhw'n synnu nad
y Gymraeg yw iaith mathemateg eu neiniau a'u
teidiau?

Pan oeddwn yn ddisgybl ysgol uwchradd roedd
yr athro cemeg, Mr Rees, yn tynnu fy nghoes
o dro i dro wrth gyfeirio ataf, yn Saesneg,
fel 'mathemagician'. Chwarae clyfar ar eiriau
oedd hynny, wrth gwrs, ond roedd yn cyfleu
peth gwirionedd, sef bod mathemateg yn bwnc
llawn hud a lledrith. Ond nid consurwyr yw
mathemategwyr, fel y gwyddost, oherwydd mae'r
ddawn i fathemategu yn perthyn i bawb ohonom,

ac nid i'r rhai dethol yn unig. Gobeithiaf dy
fod yn llwyddo i drosglwyddo peth o'r hud a'r
lledrith hwnnw i dy blant dy hun, ac yn eu
hannog i arbrofi a dyfalu.

Wyt ti'n gyfarwydd â stori'r Testament
Newydd am y cleifion? Yn y stori honno mae'r
deillion a'r cloffion a phobl wedi eu parlysu
yn gorwedd o amgylch llyn Bethesda, yn ninas
Jerwsalem. O dro i dro mae wyneb y dŵr yn
cynhyrfu. Pan fydd hynny'n digwydd mae'r claf
cyntaf i gyrraedd y dŵr yn cael ei iacháu.
Dyna be ddigwyddodd i ti y bore braf hwnnw o
Hydref - cael dy gynhyrfu i arbrofi a dyfalu.
Ar gynhyrfiad y dŵr y mae dysgu ar ei orau.
Gobeithiaf, Catrin, dy fod yn gallu cydio yn
nwylo dy blant dy hun fel y gallan nhw hefyd
gael eu cynhyrfu i feddiannu eu mathemateg
fel rhan naturiol o'u diwylliant.

Diolch am y fraint o gael dy gwmni y bore
hwnnw.

Yn gywir

Gareth

Atodiad

Ar batrwm J. Elwyn Hughes, *Canllawiau Ysgrifennu Cymraeg* (ail arg.; Llandysul: Gwasg Gomer, 2006), tt. 11.4–11.6

RHIFAU CYFRIF 1–100

Rhif	Traddodiadol	Modern
1	un	un
2	dau/dwy	dau/dwy
3	tri/tair	tri/tair
4	pedwar/pedair	pedwar/pedair
5	pump/pum	pump/pum
6	chwech/chwe	chwech/chwe
7	saith	saith
8	wyth	wyth
9	naw	naw
10	deg/deng	deg/deng
11	un ar ddeg	un deg un
12	deuddeg/deuddeng	un deg dau/dwy
13	tri/tair ar ddeg	un deg tri/tair
14	pedwar/pedair ar ddeg	un deg pedwar/pedair
15	pymtheg/pymtheng	un deg pump
16	un ar bymtheg	un deg chwech
17	dau/dwy ar bymtheg	un deg saith
18	deunaw	un deg wyth
19	pedwar/pedair ar bymtheg	un deg naw
20	ugain	dau ddeg
21	un ar hugain	dau ddeg un
22	dau/dwy ar hugain	dau ddeg dau/dwy
23	tri/tair ar hugain	dau ddeg tri/tair
24	pedwar/pedair ar hugain	dau ddeg pedwar/pedair

Rhif	Traddodiadol	Modern
25	pump ar hugain	dau ddeg pump
26	chwech ar hugain	dau ddeg chwech
27	saith ar hugain	dau ddeg saith
28	wyth ar hugain	dau ddeg wyth
29	naw ar hugain	dau ddeg naw
30	deg ar hugain	tri deg
31	un ar ddeg ar hugain	tri deg un
32	deuddeg ar hugain	tri deg dau/dwy
33	tri/tair ar ddeg ar hugain	tri deg tri/tair
34	pedwar/pedair ar ddeg ar hugain	tri deg pedwar/pedair
35	pymtheg ar hugain	tri deg pump
36	un ar bymtheg ar hugain	tri deg chwech
37	dau/dwy ar bymtheg ar hugain	tri deg saith
38	deunaw ar hugain	tri deg wyth
39	pedwar/pedair ar bymtheg ar hugain	tri deg naw
40	deugain	pedwar deg
41	un a deugain	pedwar deg un
42	dau/dwy a deugain	pedwar deg dau/dwy
43	tri/tair a deugain	pedwar deg tri/tair
44	pedwar/pedair a deugain	pedwar deg pedwar/pedair
45	pump a deugain	pedwar deg pump
46	chwech a deugain	pedwar deg chwech
47	saith a deugain	pedwar deg saith
48	wyth a deugain	pedwar deg wyth
49	naw a deugain	pedwar deg naw
50	hanner cant	pum deg
51	hanner cant ac un	pum deg un
52	hanner cant a dau/dwy	pum deg dau/dwy
53	hanner cant a thri/thair	pum deg tri/tair
54	hanner cant a phedwar/phedair	pum deg pedwar/pedair
55	hanner cant a phump	pum deg pump

Rhif	Traddodiadol	Modern
56	hanner cant a chwech	pum deg chwech
57	hanner cant a saith	pum deg saith
58	hanner cant ac wyth	pum deg wyth
59	hanner cant a naw	pum deg naw
60	trigain	chwe deg
61	un a thrigain	chwe deg un
62	dau/dwy a thrigain	chwe deg dau/dwy
63	tri/tair a thrigain	chwe deg tri/tair
64	pedwar/pedair a thrigain	chwe deg pedwar/pedair
65	pump a thrigain	chwe deg pump
66	chwech a thrigain	chwe deg chwech
67	saith a thrigain	chwe deg saith
68	wyth a thrigain	chwe deg wyth
69	naw a thrigain	chwe deg naw
70	deg a thrigain	saith deg
71	un ar ddeg a thrigain	saith deg un
72	deuddeg a thrigain	saith deg dau/dwy
73	tri/tair ar ddeg a thrigain	saith deg tri/tair
74	pedwar/pedair ar ddeg a thrigain	saith deg pedwar/pedair
75	pymtheg a thrigain	saith deg pump
76	un ar bymtheg a thrigain	saith deg chwech
77	dau/dwy ar bymtheg a thrigain	saith deg saith
78	deunaw a thrigain	saith deg wyth
79	pedwar/pedair ar bymtheg a thrigain	saith deg naw
80	pedwar ugain	wyth deg
81	un a phedwar ugain	wyth deg un
82	dau/dwy a phedwar ugain	wyth deg dau/dwy
83	tri/tair a phedwar ugain	wyth deg tri/tair
84	pedwar/pedair a phedwar ugain	wyth deg pedwar/pedair
85	pump a phedwar ugain	wyth deg pump

Rhif	Traddodiadol	Modern
86	chwech a phedwar ugain	wyth deg chwech
87	saith a phedwar ugain	wyth deg saith
88	wyth a phedwar ugain	wyth deg wyth
89	naw a phedwar ugain	wyth deg naw
90	deg a phedwar ugain	naw deg
91	un ar ddeg a phedwar ugain	naw deg un
92	deuddeg a phedwar ugain	naw deg dau/dwy
93	tri/tair ar ddeg a phedwar ugain	naw deg tri/tair
94	pedwar/pedair ar ddeg a phedwar ugain	naw deg pedwar/pedair
95	pymtheg a phedwar ugain	naw deg pump
96	un ar bymtheg a phedwar ugain	naw deg chwech
97	dau/dwy ar bymtheg a phedwar ugain	naw deg saith
98	deunaw a phedwar ugain	naw deg wyth
99	pedwar/pedair ar bymtheg a phedwar ugain	naw deg naw
100	cant/can	cant/can

Atebion i'r Posau

Pos y triongl

Mae 13 triongl yn y llun: 1 mawr, 3 canolig a 9 bach. Mae mathemateg yn cynnwys astudiaeth o siapiau (geometreg) yn ogystal ag astudiaeth o rifau (rhifyddeg).

Pos yr afalau

26,050 afal oedd gan O. M. Lloyd:
$8,000 + 40 + 10 + (20 \times 900) = 26,050$.

Pos y cyfanswm

146 yw'r cyfanswm: $6 + 12 + 30 + 9 + 1 + 15 + 2 + 4 + 12 + 27 + 18 + 10 = 146$

Pos y cusanau

Mae gan y curad 6 chwaer. Mae'r pos hwn ar ffurf ambell her sy'n boblogaidd mewn llyfrau posau hen a newydd ac mewn rhai colofnau papur newydd. Fodd bynnag, mae'n sicr y byddai fersiwn modern ohono yn ceisio osgoi'r stereoteipio sy'n britho geiriad y pos hwn. Er mwyn datrys y pos mae'r dilyniant hwn o rifau yn gryn gymorth: 0, 1, 3, 6, 10, 15, 21, 28, 36, 45, 55, 66, 78 … Sylwch fod y gwahaniaeth rhwng rhifau olynol yn cynyddu fesul un bob tro. Yr ail rif (1) yw nifer y cusanau rhwng 2 ferch; y trydydd rhif (3) yw nifer y cusanau rhwng tair merch; y pedwerydd rhif (6) yw nifer y cusanau rhwng pedair merch; ac felly ymlaen. Mae'r cwestiwn yn nodi mai cyfanswm nifer y cusanau, gan gynnwys cusanau'r curad, yw 72. Y rhif yn y dilyniant sydd agosaf at 72 yw 66. Mae'n dilyn mai 66 yw nifer y cusanau rhwng y merched a'i gilydd, sy'n gadael 6 chusan ar gyfer y curad, un ar gyfer pob un o'i 6 chwaer.

Pos y pwysau

Y pris cario yw 200 ceiniog (neu 16 swllt ac 8 ceiniog, gan gofio fod 12 ceiniog mewn swllt). Y syniad sylfaenol yn y cwestiwn hwn yw cyfrannedd (*proportion*). Gan fod pwysau'r llwyth yn cynyddu o 100 pwys i 500 pwys, rhaid i'r gost hefyd gynyddu bum gwaith (sef 500/100). Hefyd, gan fod y pellter yn cynyddu o 30 milltir i 100 milltir rhaid i'r gost gynyddu yn yr un gyfrannedd (100/30). Rhaid i ni felly gynyddu'r pris ddwywaith gan luosi'r 12 ceiniog â 5 ac wedyn â 100/30 (sef 3⅓). Cawn felly $12 \times 5 \times 3⅓ = 200$.

Pos y 'Double Rule of Three'

Y 'Double Rule of Three' yw'r enw ar y dechneg a ddefnyddiwyd i ddatrys pos Pennod 5. Mae'n derm hynafol sy'n ymddangos gyntaf yn Saesneg yn llyfr Robert Recorde, *The Ground of Artes* (1543). Mae gwreiddiau'r term yn mynd yn ôl ymhellach o lawer i'r Dwyrain Canol a'r Dwyrain Pell. Goroesodd y term hyd at flynyddoedd cynnar yr ugeinfed ganrif. Tybed a yw'n gyfarwydd i chi o'ch dyddiau ysgol? Go brin, efallai, ac eto dyma'r ymadrodd yn codi mewn pennill o gân boblogaidd o'r 1960au!

Pos π

Er 1988 mae 14 Mawrth wedi cael ei ddynodi'n ddiwrnod rhyngwladol i ddathlu π (pai). Larry Shaw ddechreuodd yr arferiad yn San Francisco ar sail patrwm Americanwyr o ysgrifennu dyddiad gan nodi'r mis cyn y diwrnod. Felly 14 Mawrth yw 3/14 yn y patrwm hwn a gwerth π i dri lle degol yw 3.14 (tri pwynt un pedwar). Ers hynny mae'r diwrnod wedi denu mwy a mwy o ddathlu byd-eang gan ysgogi llawer o weithgareddau, yn arbennig mewn ysgolion a cholegau, a llawer o fwyta peis amrywiol eu cynnwys!

Pos y dull deuaidd

Y rhif sydd un yn llai na 1,000 yn y dull deuaidd yw 111. Yn y dull hwn ystyr 1,000 yw $(1 \times 2^3) + (0 \times 2^2) + (0 \times 2) + 0$, sef 8. Un yn llai nag 8 yw 7. Gallwn ysgrifennu 7 fel $(1 \times 2^2) + (1 \times 2) + 1$. Mae'n dilyn mai 111 yw 7 yn y dull deuaidd.

Pos y rhifau Rhufeinig

Y rhif Rhufeinig MDCLXI yw 1,661. Y rhif Rhufeinig MCDXLI yw 1,441. Yr un yn union yw'r symbolau yn y ddau rif ond mae eu trefn yn wahanol.

Pos y Maiaid

Mewn symbolau Hindŵ-Arabaidd y sym hon yw 11 tynnu 3, sef 8. Y symbol a ddefnyddid gan y Maiaid ar gyfer y rhif hwn oedd:

Pos Seimon Rhys

Braidd yn amwys yw'r cwestiwn hwn! Gan gymryd mai dim ond y defaid duon a gafwyd gan Seimon, yna'r ateb yw 12 dafad. Mae'r cwestiwn yn gofyn am rywfaint o fedrusrwydd gyda ffracsiynau, pwnc sydd wedi peri anawsterau i genedlaethau o blant ysgol! Mae hanner ($\frac{1}{2}$) y defaid yn wyn, chwarter ohonynt ($\frac{1}{4}$) yn ddu a un rhan o chwech ohonynt ($\frac{1}{6}$) yn goch. Dyna ni gyfanswm o $\frac{1}{2}$ + $\frac{1}{4}$ + $\frac{1}{6}$, sy'n hafal i'r ffracsiwn $^{11}/_{12}$. Mae'n dilyn mai un rhan o ddeuddeg sydd ar ôl, a bod yr un rhan o ddeuddeg yn cyfateb i'r pedair dafad frith. Ac felly, cyfanswm y defaid yn y praidd oedd 48. Chwarter o'r rhain a gafwyd gan Seimon, sef 12 dafad.

Pos lliw'r arth

Gwyn yw lliw'r arth, gan ei fod yn byw ar Begwn y Gogledd. Mae pob llwybr o Begwn y Gogledd yn mynd i'r de: nid yw hynny'n wir am unrhyw bwynt arall ar wyneb y ddaear, boed y pwynt hwnnw yng Nghymru, yn yr Ariannin neu mewn unrhyw wlad arall! Mae'r arth yn teithio ar hyd tair ochr triongl. Mae geometreg trionglau ar wyneb sffêr (fel siâp y byd) yn wahanol i geometreg trionglau ar blân. Rheolau Ewclid sy'n berthnasol i driongl ar blân, gan gynnwys y rheol mai 180 gradd yw cyfanswm onglau triongl. Ond mae'r rheolau'n newid ar wyneb sffêr. Mae cyfanswm yr onglau yn y triongl a droediwyd gan yr arth yn fwy na 180 gradd.

Pos y palindromau

Y flwyddyn balindromig nesaf fydd 2112; yr amser palindromig cyntaf ar ôl hanner nos yw 01:10.

Pos 1, 2, 3

Yr unig batrwm tebyg arall yw: $2 + 2 = 2 \times 2$.

Nodiadau ar y Penodau

Wrth lunio'r penodau unigol rwyf wedi gwneud defnydd o lawer iawn o ffynonellau. Rwyf yn nodi rhai ohonynt isod ac wedi ychwanegu ambell ffaith neu sylw sy'n rhoi mwy o gefndir i'r cynnwys.

1
y holl ffordd i Caernafron

Prin yw'r enghreifftiau o awduron sy'n ymdrin â mathemateg mewn llenyddiaeth Gymraeg ac, at ei gilydd, maent yn tynnu ar brofiadau negyddol am y pwnc o gyfnod eu plentyndod. Daw atgofion Kate Roberts o'i chyfrol *Y Lôn Wen: Darn o Hunangofiant* (Dinbych: Gwasg Gee, 1960), t. 9. Am enghraifft o atgof mwy diweddar gweler cyfrol Mary Annes Payne a enillodd y Fedal Ryddiaith iddi yn Eisteddfod Genedlaethol Sir y Fflint a'r Cyffiniau yn 2007: *Rhodd Mam* (Llandysul: Gwasg Gomer), tt. 135–7.

Ceir hefyd enghreifftiau o gyswllt agos rhwng mathemateg a'r celfyddydau. Mathemateg oedd diléit cynnar yr ysgolhaig, y beirniad llenyddol a'r bardd Syr John Morris-Jones (1864–1929). Pan oedd yn paratoi ar gyfer astudio'r pwnc yn 1883 yng Ngholeg yr Iesu, Rhydychen, ysgrifennodd: 'Yr wyf wrth fy modd yn dysgu ac yn solvio problems anhawdd mewn Higher Mathematics.' Diflasodd ar fathemateg yn y coleg, fodd bynnag, ond graddiodd yn y pwnc cyn troi i roi ei holl fryd ar astudio llenyddiaeth Gymraeg. Yn ôl Syr John Rhŷs, prifathro Coleg yr Iesu ar y pryd, roedd astudio mathemateg wedi rhoi sylfaen dda i John Morris-Jones o ran disgyblu'i feddwl: 'His mathematical training has disciplined his mind. I should not expect him to talk at random.' Gweler cofiant Allan James, *John Morris-Jones* (Caerdydd: Gwasg Prifysgol Cymru, 2011), tt. 17–18, 39.

Y person cyntaf i danlinellu'n glir y gwahaniaeth rhwng *gwybod sut* a *deall pam* mewn mathemateg oedd yr addysgwr Richard Skemp (1919–95). Cyhoeddodd Skemp erthygl arloesol a ymddangosodd gyntaf yn 1976 sy'n dangos union natur y gwahaniaeth hwn. Mae'n erthygl hawdd ei darllen ac ar gael ar y we yn y cyfeiriad *www.blog.republicofmath.com/ archives/654*. Mae'n debyg mai'r erthygl hon sydd wedi cael y dylanwad mwyaf arnaf i'n bersonol, ac sydd wrth wraidd yr ychydig o seicoleg addysg sy'n sail i'r llyfr hwn.

2

Mae agweddau unigolion at fathemateg yn dylanwadu'n drwm ar ddatblygiad eu gallu yn y pwnc. Gweler, er enghraifft, Reuben Hersh a Vera John-Steiner, *Loving + Hating Mathematics* (Princeton NJ: Princeton University Press, 2011) a Jo Boaler, *The Elephant in the Classroom: Helping Children Learn and Love Maths* (Llundain: Souvenir Press, 2009). Un o'r rhai cyntaf i drafod y maes oedd Laurie Buxton yn *Do You Panic About Maths?* (Llundain: Heinemann, 1981). Y llyfr hwnnw a ysbrydolodd fy arbrofion sadistaidd gyda myfyrwyr!

Yn eu ffilmiau poblogaidd o'r 1940au, mae'r digrifwyr Americanaidd Abbott a Costello yn cael llawer o hwyl ar ben yr hen ddulliau poli-parotaidd o wneud symiau. Mae eu sgetshys ar wefan YouTube, er enghraifft: *www.youtube.com/ watch?v=Lo4NCXOX0p8*.

Mae archif Prifysgol St Andrews yn yr Alban yn cynnwys manylion am filoedd o fathemategwyr o bedwar ban y byd. Gallwch edrych ar yr archif yn y cyfeiriad *www-history. mcs.st-and.ac.uk/index.html* neu drwy gwglo *The MacTutor History of Mathematics archive*.

3

I hate 'that Mathematics'

Mae John Albert Evans yn cyfeirio at ei atgofion yn ei hunangofiant, *Llanw Bwlch* (Llandysul: Gwasg Gomer, 2010), t. 54.

4

Fel hogan gwnaf *Mechanics*

Mathemateg yw'r thema yng nghyfrol rhif 141 y cylchgrawn *Taliesin* (Gaeaf, 2010). Cyhoeddwyd ymateb Hafina Clwyd yn ei cholofn yn y *Western Mail* ar 21 Rhagfyr 2010 dan y pennawd 'Hunllef y gwersi syms yn llifo yn ôl wrth ddarllen *Taliesin*'. Yn ei llyfrau hunangofiannol cyfeiriodd Hafina Clwyd at ei phrofiadau gyda mathemateg yn *Merch Morfydd* (Caernarfon: Gwasg Gwynedd, 1987) ac yn *Buwch ar y Lein* (Aberystwyth: Honno, 1987).

5

Mae'r gymdeithas darlithwyr addysg fathemateg yn cynnal cynhadledd flynyddol yng Ngregynog, ger y Drenewydd. Roedd cynhadledd 2008 yn dathlu bywyd a gwaith Robert Recorde. Cyhoeddir y darlithiau a draddodwyd yn y gynhadledd honno yn Gareth Roberts a Fenny Smith (goln), *Robert Recorde: The Life and Times of a Tudor Mathematician* (2012, Caerdydd: Gwasg Prifysgol Cymru).

Atgynhyrchwyd llyfrau Robert Recorde gan gwmni TGR Renascent Books dros y cyfnod 2009–11 ac maent ar gael trwy'r wefan *www.renascentbooks.co.uk*. Gallwch hefyd ddarllen y copïau gwreiddiol ar-lein trwy wefannau rhai llyfrgelloedd, gan gynnwys Llyfrgell Genedlaethol Cymru, gan glicio ar Early English Books Online.

Yn 2001 gosodwyd llechen goffa Robert Recorde wrth y fynedfa i Ystafell Robert Recorde yn Adran Cyfrifiadureg Prifysgol Abertawe. Cynlluniwyd y gofeb gan yr artist John Howes a'r caligraffydd oedd Ieuan Rees. Gallwch weld y gofeb ar wefan yr Adran yn y cyfeiriad *www.swan.ac.uk/ compsci/dept/recorde/index.html*.

6

Geiriau gwneud yw 'benthyg a thalu'n ôl'. Maent yn gwbl ddiystyr. Fodd bynnag, gallwn egluro pam mae'r dull yn gweithio fel a ganlyn. Sail y dull 'benthyg a thalu'n ôl' yw adio deg (10) i'r ddau rif a sylwi nad yw adio deg yn newid y gwahaniaeth rhyngddynt. Y 'tric' wedyn yw adio deg i'r rhif uchaf yn yr unedau ac adio deg i'r rhif isaf yn y degau. Y term technegol ar gyfer y dull hwn yw 'adio cyfartal' gan ein bod yn adio deg yn gyfartal i'r ddau rif. Nid yw'r eglurhad hwn yn hawdd ei ddilyn, hyd yn oed i oedolyn. Dychmygwch geisio'i egluro i blentyn! Does ryfedd, felly, nad oedd athrawon yn ei ddeall a bod y termau diystyr 'benthyg' a 'talu'n ôl' wedi cael eu mabwysiadu er mwyn helpu plant i *wybod sut* gan anwybyddu *deall pam*. Dadl a ddefnyddiwyd i gyfiawnhau cadw at y dull 'benthyg a thalu'n ôl' oedd ei bod yn llawer haws defnyddio'r dull hwn gyda thablau logarithmau (*log tables*), techneg boblogaidd iawn cyn i'r defnydd o gyfrifianellau ddod yn gyffredin o'r 1970au ymlaen. Mae tablau logarithmau wedi hen ddiflannu erbyn hyn.

Nid John Thomas oedd yr unig un i gyhoeddi llyfrau mathemateg yn Gymraeg dros gyfnod y chwyldro diwydiannol. Yn nhrefn blwyddyn gyhoeddi eu hargraffiadau cyntaf mae'r prif gyhoeddiadau'n cynnwys: John Roberts, *Arithmetic: mewn Trefn Hawdd ac Eglur*, 1768; John Thomas, *Annerch i Ieuengctyd Cymru*, 1795; Thomas Jones, *Rhifiadur*, 1827; John William Thomas (Arfonwyson), *Elfennau Rhifyddiaeth*, 1831. Ffynhonnell ardderchog sy'n olrhain hanes mathemategwyr o Gymru yw llyfr Ll. Gwyn Chambers, *Mathemategwyr Cymru* (Caerdydd: CBAC, 1994).

Mae agwedd rhai gwleidyddion at fathemateg yn dadlennu llawer am eu hagwedd at addysg yn gyffredinol. Enghraifft o hynny yw'r agwedd at rannu hir (*long division*).

Pan gyflwynwyd y Cwricwlwm Cenedlaethol gyntaf yn 1988 roedd addysgwyr mathemateg yn awyddus i beidio â chynnwys rhannu hir yn ei ffurf draddodiadol. Roedd angen cynnwys y syniad o rannu, wrth gwrs, ac roedd angen i blant ddatblygu dulliau amrywiol o rannu, ond roedd yr addysgwyr yn dadlau nad oedd plant yn gallu deall y dull rhannu hir traddodiadol a'u bod yn diflasu ar y pwnc o ganlyniad i hynny. Roedd y farn broffesiynol yn unfrydol. Fodd bynnag, nid oedd Margaret Thatcher, Prif Weinidog y cyfnod, yn cytuno. Iddi hi, roedd cadw rhannu hir yn gyfystyr â chadw 'safon'. Doedd dim symud ar Thatcher a bu angen chwilio am gyfaddawd, sef cadw rhannu hir ond caniatáu i ysgolion ei gyflwyno mewn amrywiol ddulliau. Y drefn honno sy'n parhau hyd heddiw a bydd ambell Weinidog Addysg yn Llundain, yn arbennig rhai Torïaidd, yn ailadrodd y mantra o dro i dro am bwysigrwydd cadw'r 'safon aur' a gynrychiolir gan rannu hir.

7

Os gofynnwch i bobl beth yw cymhareb cylchedd cylch i'w ddiamedr, yr ateb a gewch yn aml yw'r ffracsiwn 22/7. Mae gwerth y ffracsiwn hwn yn agos at fod yn gywir ond dim ond amcangyfrif o'r gwir werth yw'r ffracsiwn. Amcangyfrif gwell fyth yw'r ffracsiwn 355/113, a ddarganfyddwyd gyntaf yn Tsieina tua OC 500. Camp William Jones oedd sylweddoli nad oedd modd mynegi'r rhif yn gywir fel *unrhyw* ffracsiwn. Yn

165

ei lyfr *Synopsis palmariorum matheseos*, ysgrifennodd, 'The exact proportion between the diameter and the circumference can never be expressed in numbers.' Dyna pam yr oedd angen symbol arbennig ar gyfer y rhif.

Gwerth π yn gywir i'r 20 lle degol cyntaf yw 3.14159265358979323846. Erbyn hyn mae mathemategwyr wedi gallu cyfrifo'r rhif yn gywir i filiynau o leoedd degol! Mae'r rhif yn parhau'n destun llawer o waith ymchwil gan fathemategwyr, cymaint yw ei bwysigrwydd mewn mathemateg heddiw. Camp sydd wedi denu sylw poblogaidd yw ceisio cofio cynifer â phosibl o ddigidau π. Yn ôl *The Guinness Book of Records*, Lu Chao, myfyriwr o Tsieina, sydd ar y brig gan iddo lwyddo i gofio 67,890 digid cyntaf y rhif a'u hadrodd yn gywir mewn ychydig dros 24 awr! Yn y Gymraeg mae'r frawddeg 'Pai a ddaeth o Gymru – mathemateg WJ', sy'n cynnwys llofnod William Jones, yn ddull hwylus o gofio saith digid cyntaf y rhif π trwy gyfrif nifer y llythrennau ym mhob gair, gan ddilyn yr wyddor Gymraeg, wrth gwrs:

Pai	a	ddaeth	o	Gymru	– mathemateg	WJ
3	1	4	1	5	9	2

Mae rhai o fanylion bywyd William Jones yn parhau i fod yn aneglur. Gallwn egluro hynny'n rhannol gan ei bod yn ymddangos nad yw'r cyfan o'i bapurau personol ar gael. Fodd bynnag, mae diddordeb yn ei fywyd a'i waith yn cynyddu. Mae Patricia Rothman o Brifysgol Llundain (UCL) wedi dadansoddi ei gylch dylanwad yn Llundain yn ei herthygl 'William Jones and his circle: the man who invented the concept of pi', *History Today*, 2009, 59/7, 24–30.

8
Cracio'r cod

Yn y rhan hon o Ynys Môn, 'petha da' yw term rhai plant am losin/fferins/da-da/minceg/swîts.

Deall 'gwerth lle' yw sylfaen popeth mewn gwaith rhif. Gall profiadau cynnar wrth gyfrif pethau syml fel botymau, er enghraifft, fod yn gymorth mawr: hel y botymau'n bentyrrau o ddeg; gweld 2 bentwr, a 4 botwm dros ben; a sylweddoli mai 24 botwm sydd yno heb orfod eu cyfrif 1, 2, 3 … Nid yw cwestiwn y cloc milltiroedd yn syml. Rhaid deall 'gwerth lle' a rhaid hefyd bod yn gyfarwydd â chloc o'r fath. Yr ateb cywir yw:

0	2	7	0	0

Mae atebion anghywir cyffredin yn cynnwys:

1	2	6	9	9

a

0	2	7	9	9

Fedrwch chi ddilyn trywydd meddwl plentyn sy'n rhoi un o'r atebion anghywir hyn?

Y ffordd symlaf o geisio deall rhifau deuaidd yw eu cymharu â'r rhifau degol arferol. Wrth gyfrif mewn degau, ystyr rhif fel 347 yw $(3 \times 10^2) + (4 \times 10) + 7$. Yn yr un modd, ystyr y rhif 111 yn y dull deuaidd yw $(1 \times 2^2) + (1 \times 2) + 1$, sef cyfanswm o 7. Wrth ymestyn y syniad hwn cawn mai ystyr 10,111 yw $(1 \times 2^4) + (0 \times 2^3) + (1 \times 2^2) + (1 \times 2) + 1$, sef cyfanswm o 23. Roeddwn wedi gofyn i Gareth pa rif oedd un yn llai na 1,000,000 yn y dull deuaidd. Gwerth yr '1' yn y rhif 1,000,000 yn y dull deuaidd yw 2^6, neu $2 \times 2 \times 2 \times 2 \times 2 \times 2$, sef 64. Un yn llai na hynny yw 63 a gallwn drosi hwnnw'n ôl i'r dull deuaidd fel 111,111. Sut wyddon ni hynny? Wel, gwerth 111,111 yw $(1 \times 2^5) + (1 \times 2^4) + (1 \times 2^3) + (1 \times 2^2) + (1 \times 2) + 1$, sef $32 + 16 + 8 + 4 + 2 + 1$, sy'n gyfanswm o 63! Os yw hwn yn eich drysu, meddyliwch am gamp Gareth, yn bump oed, yn deall y cyfan yn llawn. Roedd Gareth yn blentyn bach arbennig iawn.

9

Un, dau, tri – Mam yn dal pry

Mae'r hanes diddorol am fywyd a gwaith Ramanujan a'i gysylltiad â G. H. Hardy yn llyfr David Leavitt, *The Indian Clerk* (Llundain: Bloomsbury, 2007).

Un o'r llyfrau sy'n cyflwyno mathemateg draddodiadol India mewn iaith fodern yw golygiad gan V. S. Agrawala o lyfr Jagadguru Swāmī Śrī Bhāratī Kṛṣṇa Tirthajī Mahārāja, *Vedic Mathematics* (Delhi: Motilal Banarsidass Publishers Private Limited, 1992). Prynais gopi o'r llyfr yn 2009 o siop mewn lolfa gwesty modern yn Bengaluru (Bangalore, gynt). Doedd perchennog y siop yn deall dim o'i gynnwys!

Mae Angela Saini yn trafod y ddeuoliaeth yn India fodern yn ei llyfr, *Geek Nation: How Indian Science is Taking Over the World* (Llundain: Hodder & Stoughton, 2011).

10

Beth sy'n egluro hoffter y Gymraeg o eiriau fel deuddeg, pymtheg a deunaw? Y tebygrwydd ydy eu bod yn gysylltiedig â dulliau cyfrif arian neu ddulliau cyfrif a mesur wrth amaethu a masnachu. Er enghraifft, roedd Dafydd Wyn Jones yn cofio'i dad Simon Jones, brodor o Lanuwchllyn, yn cyfrif defaid bob yn dair: tair, chwech, naw, deuddeg, pymtheg, deunaw, un ar hugain, pedair ar hugain, saith ar hugain, deg ar hugain. Mae'r geiriau'n llithro'n hawdd, yn arbennig y 'deuddeg, pymtheg, deunaw'. Mae pethau'n mynd yn anoddach ar ôl 30, ac roedd Simon Jones wedi dyfeisio dull o ailddechrau wedi hynny gyda 'tri, chwech, naw', ac ymlaen. Mae'n ddiddorol nodi fod dulliau cyfrif defaid mewn rhannau o ogledd Lloegr wedi defnyddio rhai geiriau tebyg, megis *bumfit* am bymtheg. Roedd hefyd yn gyffredin i gyfrif torthau mewn becws fesul tair (gan fod llaw yn gallu cyffwrdd tair torth ar y tro), ac i gyfrif wyau fesul tri (gan fod llaw yn gallu codi tri wy ar y pryd). Cadw'r cyfrif o dorthau ac o wyau fesul dwsin fyddai'r drefn, wrth gwrs, gan gyfrif: tri, chwech, naw, dwsin; tri, chwech, naw, dau ddwsin, ac yn y blaen. Wrth drin arian byddai 'deunaw' yn derm byr a thwt i gyfeirio at y swm swllt a chwe cheiniog, sef cyfanswm o 18 ceiniog. Ychwanega Dafydd Wyn Jones y byddai ei dad yn adrodd hanes am ddau ffermwr yn cyfrif defaid dair gwaith ac yn methu cytuno, y naill yn cael tair ar bymtheg a'r llall yn cael deunaw!

Cofnodwyd enghreifftiau o'r defnydd llafar o'r drefn ugeiniol gan Dr Ceinwen Thomas, Prifysgol Caerdydd gynt, ac arbenigwr ar dafodieithoedd y Gymraeg. Fe'i magwyd yn ardal Nantgarw, hanner ffordd rhwng Caerdydd a Phontypridd, a diléit Ceinwen Thomas oedd tafodieithoedd cymoedd y de-ddwyrain, yn arbennig y Wenhwyseg. Casglwr arall a gofnododd enghreifftiau o'r defnydd o'r drefn ugeiniol mewn tafodieithoedd oedd yr Athro O. H. Fynes-Clinton o Adran Ffrangeg Coleg Prifysgol Gogledd Cymru, Bangor. Tafodieithoedd ardal Bangor oedd un o'i feysydd ymchwil, a chyhoeddodd Fynes-Clinton *The Welsh Vocabulary of the Bangor District* yn 1913 (Llundain: Oxford University Press).

Mae sefyllfa'r Almaeneg mewn perthynas â geiriau rhif yn annisgwyl. Mewn Almaeneg, y gair traddodiadol am y rhif 21 yw *einundzwanzig*, sef 'un ac ugain' ac mae'r drefn rifo yn dilyn y patrwm hwn o osod yr 'unedau' cyn y 'degau', yn groes i'r modd y mae'r rhif yn cael ei ysgrifennu. Er enghraifft, y rhif 47 (pedwar deg saith) mewn Almaeneg yw *siebenundvierzig*, sef 'saith a phedwar deg'. Sefydlwyd mudiad yn yr Almaen yn 2004 i geisio cyflwyno dull rhifo gwahanol, i redeg ochr yn ochr â'r dull traddodiadol. Yn y dull newydd hwn byddai 21 yn *zwanzigeins* (ugain un) a 47 yn *vierzigsieben* (pedwar deg saith). Enw'r mudiad yw *Zwanzigeins* a darlithwyr ym Mhrifysgol Ruhr Bochum sy'n ei arwain. Mae'r darlithwyr hyn yn dadlau ar sail y manteision 'addysgol ac economaidd' a fyddai'n dod yn sgil newid o'r drefn draddodiadol i drefn sy'n nes at y ffordd y mae rhifau'n cael eu hysgrifennu. Gweler *www.verein-zwanzigeins.de.*

11

Trafferth mewn tafarn

Sefydlwyd y papur *Seren Gomer* yn 1814 fel wythnosolyn Cymraeg hynod o boblogaidd a oedd yn cynnwys newyddion tramor a chenedlaethol, a hanesion am ffeiriau a marchnadoedd. Roedd ynddo hefyd golofn lythyrau fywiog. Yn 1820 argraffwyd nifer o lythyrau yn trafod dulliau rhifo, gyda'r mwyafrif llethol o blaid mabwysiadu dull degol o gyfrif yn Gymraeg. Sail yr hanesyn ar ddechrau'r bennod hon yw llythyr gan 'Aigiochus o Fyllin' sy'n cyfeirio at 'ymryson rhifo; y fuddugoliaeth oedd amheus yn niwedd y cant cyntaf, ond erbyn cyrraedd diwedd yr ail, gawriwyd allan gan feibion Gomer, BUDDUGOLIAETH, nes adseinio y dref, a pheri i'r Saeson synnu'. Mae R. Elwyn Hughes yn tynnu sylw at y llythyru hwn yn *Nid am un Harddwch Iaith: Rhyddiaith Gwyddoniaeth y Bedwaredd Ganrif ar Bymtheg* (Caerdydd: Gwasg Prifysgol Cymru, 1990), tt. 8–10.

Pan ailargraffwyd llyfr emynau'r Parchedig David Jones yn 1821, a'r gyfrol wedi chwyddo erbyn hynny i gynnwys 'saith gant a thrigain' (760) o emynau, gwnaeth David Jones y penderfyniad mentrus o roi rhifau Hindŵ-Arabaidd (fel 492) uwchben yr emynau. Ond erbyn y trydydd argraffiad yn

171

1827 roedd grym traddodiad wedi'i lethu; cafodd draed oer ac ailymddangosodd y rhifau Rhufeinig!

Yn y 1970au roedd cryn drafod ac anghytuno ynghylch y newidiadau yn ein dulliau rhifo. Roedd rhai, fel Dr Ceinwen Thomas, yn gwbl elyniaethus i unrhyw newid, ac o blaid addysgu mathemateg yn Gymraeg gan ddefnyddio'r dull rhifo traddodiadol. Roedd yn dadlau'n gryf fod y drefn honno 'wedi gwreiddio'n ddwfn yn ymwybyddiaeth ieithyddol y Cymro Cymraeg' ac, yn groes i hynny, mai 'ar batrwm rhifolion y Saesneg y lluniwyd y rhifolion ffasiwn newydd hyn'. Er i Iorwerth Peate hefyd fynegi ei gefnogaeth i gadw at y dull traddodiadol, roedd yn cydnabod yr angen i edrych am gyfaddawd, ac awgrymodd y gallai ysgolion ddefnyddio'r dull degol o fewn muriau'r ystafell ddosbarth mathemateg ond nid y tu allan i'r cyd-destun penodol hwnnw. Byddai hynny, wrth gwrs, yn gwbl annaturiol, ond roedd y ffaith fod Iorwerth Peate yn codi'r awgrym yn arwydd clir bod pethau'n newid.

Mae llawer o benbleth yn codi yng nghyd-destun dweud yr amser yn Gymraeg. Yn ei lyfr *Modern Welsh: A Comprehensive Grammar* (Llundain: Routledge, 2003) mae Gareth King yn cynghori dysgwyr fel a ganlyn: 'It is important to think of time in Welsh as a clock face rather than numbers. We cannot say tri pumdeg pump for 3.55, as we can in English.' Hyd yn oed os oedd hynny'n wir yn 2003 nid yw'r ddadl yn dal dŵr erbyn hyn. Ym marn J. Elwyn Hughes, 'O safbwynt dweud yr amser ar gloc analog, dim ond y ffordd draddodiadol a ddefnyddir … ond ar gloc digidol, tueddir

172

i ddefnyddio rhyw gymaint ar y ddwy ffordd, gan droi at y ffordd newydd unwaith y mae pethau'n mynd yn gymhleth!' (*Canllawiau Ysgrifennu Cymraeg* (ail arg. Llandysul: Gwasg Gomer, 2006), t. 11.1)

Yn 1998 cyhoeddodd Bwrdd yr Iaith Gymraeg ganllawiau dan y teitl *SIEC-Mêt* ynghylch sut i ysgrifennu rhifau yn Gymraeg ar sieciau. Cynhyrchwyd fersiwn pellach ar gyfer y mileniwm newydd a dosbarthwyd 10,000 copi i staff a chwsmeriaid mewn siopau a banciau.

Yn 1999 lluniodd Aled Glynne Davies, Golygydd BBC Radio Cymru, ganllawiau iaith ar gyfer darlledwyr. Wrth drafod rhifau, awgrymodd y cyfaddawd hwn:

> Hyd at y ffigwr 30, mae'n iawn dweud un ar hugain, dau/dwy ar hugain ac yn y blaen. Ond ar ôl deg ar hugain, fe ddylech chi ddweud 'tri deg un, tri deg dau', ac yn y blaen … Mae'r rhif 31 yn creu anawsterau wrth nodi'r dyddiad. Os ydych chi'n cyfeirio at Ionawr 31, er enghraifft, fe ddylech ddweud 'diwrnod olaf Ionawr'. Mae 'Ionawr tri deg un' yn dderbyniol hefyd.

Gallwch weld yr ymchwil sy'n dangos manteision y Gymraeg wrth ddysgu rhifo yn erthygl Ann Dowker a Delyth Lloyd (2005), 'Dylanwadau ieithyddol ar rifedd'. Mae'r erthygl ar gael ar-lein ar wefan Ysgol Addysg Prifysgol Bangor: *www. bangor.ac.uk/addysg/publications/Mathemateg_yn_yr_Ysgol_ Gynradd.pdf*. Mae llyfr Malcolm Gladwell, *Outliers* (Llundain: Allen Lane, 2008), tt. 227–32, yn cynnwys trafodaeth am ddysgu rhifo yng ngwledydd y Dwyrain Pell.

Yn 1878 (gydag ailargraffiad yn 1881) y cyhoeddodd R. J.
Berwyn ei werslyfr i athrawon y Wladfa, dan y teitl *Gwerslyvr
Cyntav i ddysgu darllen Cymraeg at wasanaeth ysgolion y
Wladva*. Gallwch weld y gwerslyfr hwn a nifer o luniau a
dogfennau eraill am y Wladfa trwy ymweld â'r wefan *www.
glaniad.com*. Datblygwyd y wefan gan Lyfrgell Genedlaethol
Cymru ac archif Prifysgol Bangor, mewn cydweithrediad â
Llywodraeth Cynulliad Cymru.

Ar ôl cyrraedd y rhif deg, mae R. J. Berwyn, yn ei werslyfr,
yn argymell cyfrif mewn dull degol gan ddilyn y patrwm
'deg un, deg dau, deg tri …' hyd at 'deg naw', ac wedyn 'dau
neg, dau neg un' ac yn y blaen. Yn y dull hwn, y rhif '37' yw
'tri neg saith'. Nid yw'n glir ai'r geiriau hyn a ddefnyddid yn y
Wladfa neu'r geiriau sy'n fwy cyfarwydd i ni heddiw (un deg
un; un deg dau … tri deg saith, ac yn y blaen).

Mae llyfr gwaith Caradog Jones yn Amgueddfa'r Gaiman
yn dechrau â'r geiriau 'Ysgol Dyddiol Rawson, Athraw
J. G. Prichard 1880, Caradog Jones'. Ynddo mae Caradog yn
gosod ei waith yn dwt ac yn drefnus, ac mae'n defnyddio ei
symiau i ateb pob math o broblemau ymarferol.

Mae'r Athro Robert Owen Jones, cyn-Gyfarwyddwr y
Ganolfan Dysgu Cymraeg ym Mhrifysgol Caerdydd, wedi
cynnal astudiaethau manwl o batrymau iaith yn y Wladfa.
Mae ei waith yn cyfeirio'n aml at ddulliau rhifo'r Gwladfawyr.
Gweler, yn arbennig: *Hir Oes i'r Iaith* (Llandysul: Gwasg
Gomer, 1997), tt. 295–318; 'Yr Iaith Gymraeg yn y Wladfa' yn

Geraint H. Jenkins (gol.), *Iaith Carreg Fy Aelwyd* (Caerdydd: Gwasg Prifysgol Cymru, 1998), tt. 281–305; 'Trai a … gobaith II', *Y Traethodydd* (Gorffennaf 2006), 148–61.

13
Od nad wyf i fyw dan do

Mae modd treulio oriau lawer ar y we yn hel enghreifftiau o balindromau! Er enghraifft, mae'r wefan *www.palindromelist. net* yn rhestru rhai cannoedd o balindromau Saesneg, yn eiriau unigol ac yn frawddegau. Yn Gymraeg mae nifer o eiriau unigol yn balindromau, gan gynnwys: bib, cic, dafad, lol, llall, minim, pop, sws, twt, ydy. Ychydig yw'r enghreifftiau o frawddegau palindromig Cymraeg. Dyna a roddodd y syniad i mi gynnwys y gystadleuaeth hon yng nghylchgrawn *Y Gwyddonydd* (1979, 17/2, t. 53) a chael fy synnu a'm llonni gan yr ymateb. Yn y byd cerddorol, 'Y Palindrom' yw llysenw Symffoni Rhif 47 Joseph Haydn: mae trydydd symudiad y symffoni yn balindrom cerddorol.

Mae Jen Jones ac eraill wedi arwain adfywiad yn y diddordeb mewn cwiltiau Cymraeg. Mae hi'n cadw siop gwiltiau yn Llanybydder, ac mae ganddi arddangosfa barhaol yn hen Neuadd y Dref, Llanbedr Pont Steffan. Mae manylion am y siop a'r arddangosfa ar y wefan *www.jen-jones.com*. Mae'r Gymdeithas Cwiltiau (The Quilt Association) wedi'i lleoli yng Nghanolfan Celfyddydau Minerva, Llanidloes, ac yn cynnal gwefan *www.quilt.org.uk*. Gweler hefyd Jen Jones, *Welsh Quilts* (Caerfyrddin: Towy Publishing, 1997).

Un peth yw sylwi ar batrwm mewn rhifau; peth arall yw profi fod y patrwm yn gywir. Nid yw mathemategwyr yn gwbl hapus hyd nes eu bod wedi darganfod prawf manwl sy'n dangos bod y patrwm yn parhau'n ddiddiwedd. Yn y bennod hon mae patrwm tabl 9 wedi'n harwain i dybio mai 'Craidd *pob rhif* yn nhabl 9 yw 9'. Buom yn arbrofi gyda nifer o enghreifftiau – craidd 36 yw 9, craidd 144 yw 9, ac yn y blaen – pob un ohonynt yn cadarnhau'r dybiaeth. Ond sut gallwn ni fod yn gwbl sicr fod hyn yn wir am *bob rhif* yn nhabl 9, gan na allwn, wrth reswm, restru'r holl rifau hyn? Er mwyn sefydlu prawf sy'n gwbl ddibynadwy, byddai angen mentro i fyd algebra ac nid yw hynny o fewn ein cyrraedd yn y llyfr hwn. Nid yw hynny, fodd bynnag, yn ein rhwystro rhag sylwi ar y patrwm a synhwyro y gall fod yn gywir. Mae mathemategwyr wrth eu gwaith bob dydd yn pwyso'n drwm ar y reddf honno o synhwyro y gall rhywbeth fod yn gywir, a dim ond wedyn yn ceisio mynd ati i sefydlu prawf manwl i gadarnhau hynny.

Os oes gennych awydd arbrofi ymhellach eich hunan, beth am roi cynnig ar archwilio'r patrymau yn nhabl 8, dyweder? Dyma'r rhifau yn nhabl 8, hyd at 10×8:

$$8, 16, 24, 32, 40, 48, 56, 64, 72, 80$$

Craidd 16 yw 7 (yn nodiant y bennod, $16 \rightarrow 7$). Wrth weithio ar hyd y rhifau, a ydych yn cytuno bod y dilyniant hwn yn rhestru craidd pob rhif yn ei dro?:

$$8, 7, 6, 5, 4, 3, 2, 1, 9, 8$$

A welwch chi unrhyw batrwm yma? Yn sicr mae'n wahanol i'r patrwm yn nhabl 9. Ydy'r patrwm hwn yn parhau wrth i chi ymestyn y tabl ymhellach nag 80? Beth am y tablau eraill? A dyna chi wedi dechrau arbrofi!

Rhifau cysefin (*prime numbers*) sy'n sail i ddiogelwch ein cardiau banc. Mae 13 yn rhif cysefin gan na allwn rannu 13 â rhifau llai (ar wahân i 1, wrth gwrs). Nid yw 14 yn rhif cysefin gan y gallwn ei rannu â 2 neu â 7; hynny yw, gallwn rannu'r rhif 14 â rhifau eraill. Dyma'r rhifau cysefin cyntaf: 2, 3, 5, 7, 11, 13, 17, 19, 23 … Mae diogelwch cardiau banc yn dibynnu ar ddefnyddio cod sy'n seiliedig ar rifau cysefin mawr iawn, iawn – rhai sy'n cynnwys degau o ddigidau. Mae rhifau cysefin wedi bod o ddiddordeb arbennig i fathemategwyr erioed. Gweler, er enghraifft, Marcus du Sautoy, *The Music of the Primes* (Llundain: Harper Perennial, 2004).

Un o lyfrau mathemateg mwyaf dylanwadol yr ugeinfed ganrif oedd *A Mathematician's Apology* gan G. H. Hardy. Yn y llyfr hwn mae Hardy yn ceisio egluro meddylfryd y mathemategydd i'r darllenydd cyffredin. Mae'r frawddeg sy'n cloi'r bennod hon yn addasiad o frawddeg enwog o lyfr Hardy: 'A mathematician, like a painter or a poet, is a maker of patterns.' Cyhoeddwyd y llyfr gyntaf yn 1940, a chafwyd ailargraffiad yn 1967. Mae'r ailargraffiad yn cynnwys Rhagair gan C. P. Snow, ffisegydd a nofelydd, sy'n enwog am y ddarlith gyhoeddus a draddodwyd ganddo yn 1959, 'The Two Cultures'. Yn y ddarlith hon mae C. P. Snow yn mynegi ei ofid am y bwlch rhwng gwyddonwyr, ar y naill law, ac ysgolheigion y byd celfyddydol, ar y llaw arall. Mae neges

C. P. Snow ynghylch yr angen i bontio'r bwlch hwn wedi dylanwadu ar thema'r gyfrol hon.

Cafodd y bardd a'r ysgolhaig T. H. Parry-Williams ei swyno gan ffiseg y gronynnau bach. Mae ei ddwy ysgrif am y maes hwn – 'Pendraphendod' a 'Samarkand' – i'w gweld yn *Casgliad o Ysgrifau T. H. Parry-Williams* (Llandysul: Gwasg Gomer, 1984). Mae T. H. Parry-Williams yn enghraifft arbennig, yn y byd Cymraeg ei iaith, o un a oedd yn gallu pontio'r bwlch rhwng dau ddiwylliant C. P. Snow.

Darllen Pellach

Wrth lunio'r llyfr hwn rwyf wedi elwa ar nifer o gyhoeddiadau Saesneg diweddar sy'n trin syniadau mathemategol mewn arddull poblogaidd. Ar ben y rhestr mae llyfr Alex Bellos, *Alex's Adventures in Numberland* (Llundain: Bloomsbury, 2010).

Cefais flas ar y llyfrau canlynol hefyd:

Alexander, Amir, *Duel at Dawn: Heroes, Martyrs, and the Rise of Modern Mathematics* (Cambridge MS: Harvard University Press, 2010)

Du Sautoy, Marcus, *Finding Moonshine: A Mathematician's Journey through Symmetry* (Llundain: Fourth Estate, 2008)

Gessen, Masha, *Perfect Rigour: A Genius and the Mathematical Breakthrough of the Century* (Llundain: Icon Books, 2011)

Hoffman, Paul, *The Man who Loved only Numbers: The Story of Paul Erdös and the Search for Mathematical Truth* (Llundain: Fourth Estate, 1998)

Masters, Alexander, *The Genius in my Basement: The Biography of a Happy Man* (Llundain: Fourth Estate, 2011)

Singh, Simon, *Fermat's Last Theorem* (Llundain: Fourth Estate, 1997)

Stedall, Jacqueline, *The History of Mathematics: A Very Short Introduction* (Rhydychen: Oxford University Press, 2012)

Stewart, Ian, *A History of Symmetry* (Efrog Newydd: Basic Books, 2007)

Wilson, Robin, *Lewis Carroll in Numberland* (Llundain: Allen Lane, 2008)

Gallwch ddilyn rhai o themâu'r llyfr hwn ymhellach wrth ymweld â'm gwefan www.garethffowcroberts.com.

Mynegai

adio cyfartal, gw. symiau
algebra 18–19, 27–9, 36, 43, 45,
    47–8, 141, 144, 176
Archimedes 14, 66–9

benthyg a thalu'n ôl, gw. symiau
Berwyn, R. J. 124–6, 130, 132,
    174

Clwyd, Hafina 32–4, 162
cylch(oedd) 66, 68, 71, 75, 77,
    165

dadelfennu, gw. symiau
deall pam 6, 11, 12, 45–6, 53,
    56–7, 60, 62, 69, 78, 81, 83,
    85, 92, 138, 161, 164
Davies, Sydney 13, 26, 28–9
'Double Rule of Three', gw.
    symiau

Einstein, Albert 91–2
Ewclid 36, 43, 62, 158

geometreg 29, 36, 43, 62, 131,
    155, 158
gwybod sut 6, 11, 12, 45–6,
    56–7, 60, 62, 69, 78, 92, 161,
    164

Hardy, G. H. 90, 136, 168, 177
Hughes, J. Elwyn 117, 151, 172

ieithoedd Celtaidd 99, 102

Jones, William 67–75, 78, 149,
    165–7, 182
    defnydd o'r symbol π (pai)
    67, 165–6
    hanes ei fywyd 69–75, 166–7

Lloyd, O. M. 15–17, 24, 155

Maiaid 98–105, 157
mathemateg
    atgasedd 15, 18
    awdurdod 8
    a gwrywdod 23, 31
    ac iaith 34
    like cabbage 13
    a merched 22–34
    panig 8, 11
    patrymau 136–47

namyn 85–8, 107
Newton, Isaac 72–4, 90

pai (π) 67–8, 157, 165–7
palindrom(au) 134–6, 138, 159,
    175
Peate, Iorwerth C. 113, 172
Prifysgol St Andrews 14, 26,
    29, 162

Phillips, Morien 143–5, 147

Ramanujan, Srinivasa 90–2,
    168–9
Recorde, Robert 35–51, 59–62,
    64, 95, 149, 156, 163
    Dinbych-y-pysgod 35, 37–9,
    41, 44
    hafalnod 35, 46–8
    Iarll Penfro 40–1, 48
    The Castle of Knowledge 42
    The Ground of Artes 43–4,
    50, 59–60, 156
    The Pathway to Knowledg 43
    The Whetstone of Witte 43
Roberts, Kate 3, 160

rhifau
    deunaw 21, 87, 98–9, 112,
    114, 126–8, 169–70
    dim (sero) 93–4, 99–101
    dull degol (modern) 81,
    86, 94, 98–9, 109, 112–15,
    117–18, 120, 123, 126–7,
    130, 151–4, 167, 171–2, 174
    dull ugeiniol (traddodiadol)
    98–9, 100–4, 106–7, 109,
    111–15, 117–18, 120, 124,
    126–8, 151–4, 172
    gwerth lle 81–3, 167
    rhifau deuaidd 83–5, 87,
    157, 167–8

    rhifau Hindŵ-Arabaidd
    94–6, 157, 171
    rhifau Rhufeinig 93, 108,
    157, 172
rhifyddeg 5, 16, 43, 45–6,
    59–60, 62, 93, 95, 125, 155

symiau
    adio 4, 9
    'Double Rule of Three' 63,
    156
    rhannu hir 11, 164–5
    tablau lluosi (*multiplication
    table*) 125
    tynnu 4, 52–62
        adio cyfartal 164
        benthyg a thalu'n ôl 56–9,
        61–2, 163–4
        dadelfennu 56–7, 59, 61

Thomas, John 60–2, 64, 164

Warner, Mary Wynne 26–9
Williams, Gareth Wyn 80,
    82–6, 88, 168, 182

y Wladfa 122–33, 174–5
    Amgueddfa Wladfaol y
    Gaiman 128, 130–2, 174

Er cof am Gareth Wyn Williams

(1978–2010)

Mathemategydd

Gareth Wyn Williams, un o blant Môn, fel William Jones,
a ddisgleiriodd ym maes mathemateg. Yn ddiweddarach
yn ei yrfa defnyddiodd ei ddoniau arbennig mewn
mathemateg i hybu gwaith gwrthderfysgaeth Canolfan
Gyfathrebu'r llywodraeth yn Cheltenham. Yn ystod
secondiad byr i MI6 yn 2010 ac yntau'n ddim ond 31 oed
bu farw Gareth dan amgylchiadau trist ac annealladwy.